Bijsluiter

In dit boek vind je dingen die
simpel klinken, maar moeilijk zijn.
Je vindt er huiswerk, maar
niemand kijkt het na.
Er vloeien tranen, maar er mag
ook gelachen worden.
Er gaat iemand door de mangel,
maar het komt goed.
Er zijn angsten en slapeloze nachten,
maar er is ook passie en plezier.
Er zijn mensen zoals jij, maar
ook heel andere.

Het gaat eigenlijk maar over één
ding, maar dat is complexe materie.
Iedereen weet wat goed voor je is,
maar tegelijk ook helemaal niet.
Je hoeft alleen dat ene zinnetje
te lezen dat jou inspireert, maar
je vindt het niet zomaar.
Je kunt het cadeau geven,
maar weet wat je doet.

*Na dit boek is niets meer
hetzelfde, maar jij wel*

Benthuizen

26.10.72

Geachte Heer van den Eeden, (= bedrijfspsycholoog)

Refererend aan Uw advertentie in Intermediair van 27 dezer deel ik U mede dat ik geïnteresseerd ben in de daarin aangeboden funktie.

Te uwer informatie moge het volgende dienen:

Ik ben 39 jaar, gehuwd, heb 3 kinderen. Mijn opleiding bestaat o.a. uit SPD en enkele delen AMBI.

Sinds 1964 werk ik als systeem-adviseur bij een groot computer servicebureau. De inhoud van deze funktie is het ontwerpen, invoeren en maatwerk-computersystemen en het adviseren van cliënten m.b.t. de interne organisatie.

Daarvóór was ik ruim vier jaar sous-chef

P.A.M. Suidman
Irenestraat 9
Benthuizen

26.10.72

Geachte heer Van den Eeden,

Refererend aan uw advertentie in Intermediair van 27 dezer deel ik U mede dat ik geïnteresseerd ben in de daarin aangeboden funktie.

Te uwer informatie moge het volgende dienen:

Ik ben 39 jaar, gehuwd, heb 3 kinderen. Mijn opleiding bestaat o.a. uit SPD en enkele delen AMBI.

Sinds 1964 werk ik als systeem-adviseur bij een groot computer servicebureau. De inhoud van deze funktie is het ontwerpen, invoeren en begeleiden van administratieve maatwerk-computersystemen en het adviseren van cliënten m.b.t de daarbij behorende interne organisatie.

Daarvóór was ik ruim vier jaar souschef afd. administratie bij een farmaceutische onderneming, vier jaar medewerker op de hoofdboekhouding bij een grafisch concern en ruim drie jaar boekhouder bij een bouwmaterialenhandel.

Huidig inkomen, incl. emolumenten, rond de f 40.000 per jaar.

In het vertrouwen u hiermede voorlopig voldoende te hebben ingelicht, teken ik.

Hoogachtend,
P.A.M. Suidman

Zeg papa,

Hoe ben je eigenlijk aan die baan gekomen destijds, met zo'n brief? Ik bedoel: waar is je unique selling point? Van welk probleem ging jij je nieuwe werkgever verlossen? Wat is je drive? En misschien nog het belangrijkste: wat is je telefoonnummer?

Je vertelt dat je geïnteresseerd bent in de aangeboden functie. Dat je gehuwd bent en drie kinderen hebt. En dan kernachtig dat je momenteel werkt aan het ontwerpen, invoeren en begeleiden van administratieve maat-werk-computersystemen en het adviseren over de daarbij behorende interne organisatie. Dan noem je je vorige banen, je huidige inkomen, en tenslotte groet je hoogachtend, 'in het vertrouwen u voldoende te hebben ingelicht'. Dat alles met de hand.

Dankzij die brief werd je Hoofd Automatise-ring. Je kocht computers, die in slagorde in een gekoelde zaal hun werk deden. Mijn mobieltje kan meer dan al die apparaten van toen bij elkaar. Er is echt ontzettend veel veranderd. En dat geldt zeker voor de arbeidsmarkt.

Donald Suidman
Uitgever/Publisher at BigBusinessPublishers
Utrecht Area, Netherlands | Publishing

Linked in

3

INHOUD

'Ik was bang dat ik zou verzuren.'

Een kwestie van lef

Rond je 45ste jaar sta je op een kruispunt. Je hebt ervaring en wijsheid, en nog zeker twintig jaar te gaan op de arbeidsmarkt. Dit is hét moment om nieuwe keuzes te maken.

Elke 45-plusser kan de voordelen van het ouder zijn moeiteloos opsommen: je hebt meer ervaring qua werk en leven. Je schrikt niet snel meer van een 'brandje', hebt meer inzicht in jezelf, weet beter wat je kunt en waar je grenzen liggen.

Tegelijkertijd begint er zo tussen het 40ste en 55ste levensjaar te kriebelen. Mensen vragen zich af of ze wel goed bezig zijn. Christien Franken (52) bijvoorbeeld – nu zelfstandig taaltrainer Engels en schrijfdocent - werkte jarenlang als onderzoeker op een universiteit. Op een gegeven moment was ze 'de prestatiedrang en het elkaar verdringen op weg naar de top' meer dan zat. 'Ik stond in de lift en dacht: de persoon die ik aan het worden ben, die mag ik niet zo.'

Zo rond je 45ste sta je op een kruispunt, zegt Heleen Crul (68), wetenschapsjournalist en schrijver van diverse boeken over generatieverschillen. 'Als je jong bent', zegt Crul, 'verschuift de actualiteit van je leven continu: ''Nu moet ik dat, oh nu weer dat''. Je bent onwetend over de richting waar je heen gaat. Als twintiger staat nog niets echt vast qua beroep, scholing, vrienden en vriendinnen, een geliefde: wie is nu de ware? Zo rond je dertigste beland je in een hogesnelheidstrein: je krijgt een vaste partner, een vastere werkkring, je koopt een huis, krijgt eventueel kinderen. Tegelijkertijd heb je geen tijd om uit het raam te kijken, die trein stopt nergens.

Na je veertigste – zeker na je 45ste – verandert dat allemaal. De trein gaat langzamer rijden. Je hebt meer tijd en ruimte om terug te kijken op het leven en de balans op te maken: wat wil ik nu werkelijk? De eerder genoemde voordelen komen goed van pas: de rust, het inzicht. Of zoals Crul het noemt: 'Op die leeftijd heb je meestal voldoende wagonnetjes met lading om rechts- of linksaf te gaan.'

Bovendien ligt er nog een mooie lange weg in het vooruitzicht. De gemiddelde levensverwachting voor mannen is tegenwoordig 79 jaar, vrouwen worden gemiddeld 83. Dus waarom niet gaan voor een tweede carrière? 'Als je veel later sterft dan vroeger, waarom zou je dan niet rond je 50ste aan een nieuwe opleiding beginnen?', vraagt ook demograaf Leo van Wissen, hoogleraar en directeur van het Nederlands Interdisciplinair Demografisch Instituut zich af in een interview met de Volkskrant vorig jaar herfst. 'Waarom bereid je je rond die leeftijd niet voor op een andere periode in je leven, waarin je iets nieuws gaat doen – of iets dat in het verlengde ligt van wat je al gedaan hebt en waarmee je vrolijk verder kunt?'

Ook Martijn de Wildt zou het liefst vandaag nog ons werkende le-

> 'Ik stond in de lift en dacht: de persoon die ik aan het worden ben, die mag ik niet zo.'

ven anders indelen. De Wildt – zelf 'pas' 38 – is oprichter en eigenaar van adviesbureau Qidos, dat zich onder meer richt op flexibele loopbanen. Hij verbaast zich uitermate over de manier waarop we in Nederland aankijken tegen werk: eerst een opleiding, dan werken - vaak zo kort mogelijk - met als doel: genieten van je pensioen. 'Als je 45 bent zit je dus al in het begin van de eindfase, terwijl je nog minstens 20 jaar voor je hebt. Onbegrijpelijk.'

De Wildt wijst op de *blue zones* in de wereld: plekken waar mensen substantieel ouder worden dan 100. 'Op die plekken hebben mensen een zinvol doel in hun leven en ze kennen het woord pensioen niet.' Vooral met dat laatste is er in Nederland iets 'grandioos misgegaan', meent De Wildt. 'Waarom zou je je kapot werken voor je pensioen? Geniet *voor* die tijd. Maak een draai, ga een nieuwe opleiding doen, ontwikkel nieuwe talenten in plaats van dat je denkt : ik hoef nog maar x jaar en dan kan ik het tijdens mijn pensioen doen.'

Natuurlijk zijn er zat mensen die ook op deze manier naar hun carrière kijken. Hans de Groot bijvoorbeeld werkte al jaren fulltime als redacteur en manager bij een grote uitgeverij, toen hij op zijn 51ste voelde dat het goed was om op te stappen. 'Ik was zo moe van al dat vergaderen, van mezelf committeren aan de bedrijfscultuur, weten dat ik een juiste oplossing had klaarliggen, maar niet zelf mogen beslissen, me niet voluit verder kunnen ontwikkelen.' Hij nam ontslag en ging verder

'Maak een draai, ga een nieuwe opleiding doen, ontwikkel nieuwe talenten.'

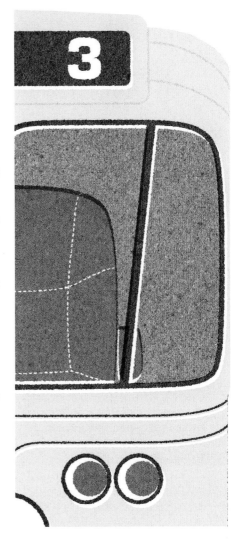

aan te komen. 'Ik dacht: nee, niet weer een nieuwe bedrijfscultuur. Ik ben toen acuut naar de directeur gestapt en heb gezegd: "Ik denk dat ik hier weg wil".' Soms is die 'tik' het ontslag zelf. Vaak zeggen mensen enkele jaren na een ontslag: dit was het beste dat me kon overkomen, ik heb eindelijk ontdekt wat ik werkelijk belangrijk vind.

Maar waarom daarop wachten? De Groot: 'Ik ben blij dat ik zelf ontslag heb genomen. Anders zou ik ter plekke zijn verzuurd. En dat wilde ik niet: niet voor mezelf en niet voor mijn collega's.' Toch gebeurt het maar al te vaak: 45-plussers die eigenlijk wat willen veranderen, maar bang zijn om hun veilige, zekere leven op te geven en daarom als 'konijnen in een koplamp zitten te staren', zoals Christien Franken het uitdrukt.

Toegegeven, de economie werkt niet mee. Er is een crisis gaande waardoor de sociale zekerheid wordt afgebouwd en er gevochten wordt om banen. Een enkele denker mag die tweede carrière dan wel een sublieme uitkomst vinden, de samenleving en werkgevers kijken daar anders naar. 'De wijze waarop arbeid in veel organisaties is georganiseerd, past eerder bij de kwaliteiten van jongere leeftijdsfasen,' schrijft coach Adriaan Hoogendijk in zijn boek *De tweede levenshelft*. 'Natuurlijk zijn veertigminners meer in trek bij organisaties. Hun vitaliteit, elan, nieuwsgierigheid en productiviteit zijn aantrekkelijk. Het lijkt alsof organisaties altijd hebben gezegd: 'Wat moeten we met wijsheid? We moeten resultaten halen.'

'Ik ben blij dat ik zelf ontslag heb genomen. Anders zou ik ter plekke zijn verzuurd.'

als zzp-er in redactioneel werken en vertalingen Zweeds-Nederlands. Het voelde als een nieuw begin. 'Het gaf me een enorme kick.'

Vaak is er een 'tik' nodig om de stap te durven zetten. Voor De Groot was dat de mededeling dat er na drie eerdere organisaties weer een fusie zat

'Je wordt in deze tijd om het plat te zeggen nogal eens afgedankt als je boven de 50 bent', zegt ook arbeidssocioloog en onderzoeker bij het Verwey-Jonker Instituut in Utrecht Fabian Dekker. Dat heeft volgens hem vooral te maken met de vooroordelen van werkgevers: ouderen zouden minder productief en vaker ziek zijn. 'Maar dat is wetenschappelijk nooit aangetoond. Helaas hebben dit soort stereotyperingen zich flink geworteld. En je krijgt ze er niet zo snel meer uit.'

Toch hebben 45-plussers zelf ook een aandeel. Dekker schreef recent een opiniestuk met de boodschap: ben je nu 45 of 50, denk dan alvast na over een arbeidscarrière die wezenlijk anders is dan die je nu hebt. Dekker: 'Het stuk kreeg meteen reacties op allerlei internetfora van ouderen: "Ja, maar ik heb geen kansen. Ik word overboord gegooid, ze zitten niet op mij te wachten." Maar je mag van 45-plussers van nu toch wel verwachten dat ze wat pro-actiever in het leven staan en wat minder denken vanuit de bestaande kaders. Ik denk dat een deel van de 45-plussers zich te gemakkelijk een slachtofferrol aanmeet tegen de achtergrond van de globalisering en de crisis. Kijk ook naar je eigen verantwoordelijkheid, niet alleen naar de overheid en je eigen werkgever.'

Heleen Crul is het daarmee eens. 'Kom uit je huis alsjeblieft, zoek medestanders. Dat kan via Facebook maar ook via een mededeling in een *huis-aan-huis-blad*: ik ben ontslagen, ik wil met anderen praten over nieuwe mogelijkheden. Las bewust een pauze in, schrijf een biografie om jezelf opnieuw te ontdekken; denk na over het kind, de tiener, die je ooit was, en wat die wilde worden. Luister naar die innerlijke stem en niet naar die 110 bezwaren en je neiging tot bij de pakken neer zitten.'

Martijn de Wildt wijst op eigen initiatief als motor voor een nieuwe start. 'Denk na over je talenten en hoe je die in je werk kunt inpassen. Maak een plan en leg dat voor aan je werkgever. Ik ben ervan overtuigd dat 90 procent van de werkgevers daarvoor open staat. En ja, het kan zijn dat je dan wat minder loon krijgt. Maar is kwaliteit van werk niet veel meer waard?' (HK)

Meer lezen?

**De tweede levenshelft
Een werkboek voor
veertig en verder**

Adriaan Hoogendijk
Gebonden
224 blz., € 24,50
Business Contact
ISBN 9789047003502

Heleen Crul
Wetenschapsjournalist
en columnist

68 **Heleen Crul (68)** begon als twintigjarige als eerste vrouwelijke journalist bij De Leidse Courant, een paar jaar later ging ze werken bij Margriet, waar ze schreef over emancipatie, relatieproblematiek en medische onderwerpen. Op haar 38ste werd ze coördinator van de wetenschapsrubriek bij het tijdschrift Elsevier. Nu, gepensioneerd, schrijft ze boeken en opiniestukken. In haar laatste boek 'Tussen de generaties' combineert Crul haar persoonlijke ervaringen als grootmoeder met haar inzichten als wetenschapsjournalist. Zo ontstaat een sociaal portret van verschillende generaties en de tijdgeest die hen gevormd heeft. Momenteel werkt ze aan een nieuw boek over het veertigergevoel.

Foto: Britt Straatemeier

35

'Bij mij kwam het keerpunt qua werk op mijn 37ste. Ik was aan iets nieuws toe. Mijn kinderen waren aan het puberen en de formule van Margriet – waar ik toen werkte – veranderde, ik voelde me er niet meer thuis. Ik dacht: ik moet wat anders, anders blijf ik hier hangen. Ik besefte toen dat ik terug wilde naar de dagbladjournalistiek, waar ik ooit als twintiger was begonnen. Ik woonde in Nijmegen en ben toen gaan werken voor De Gelderlander, een grote regionale krant. Bij sommigen wekte het verbazing dat ik daar ging werken, maar het was een heel goede leerschool, en leuk werk.'

45

'Eigenlijk ben ik pisnijdig over het feit dat je vanaf je 45ste nauwelijks meer aan de slag komt. Vroeger werd de middelbare leeftijd – tussen de 45 en 65 – gezien als een mooie tijd. Je had ervaring, je was gerijpt. Pas dan kreeg je echt hoge functies. Maar onder invloed van de VUT-regeling is die waardering voor de middelbare fase afgeschaft. Nu ben je als 50-plusser oud en tel je niet meer mee. Een enorme verspilling van kennis en ervaring. Ik denk dat een ommezwaai rond je 45ste vanzelfsprekend is. Ikzelf heb dat gedaan, mijn dochters doen dat nu. Dat hoeft niet per se in de werksfeer te zijn. Naast je baan kun je andere interessante dingen doen.'

'Ik zorgde dat ik erbij bleef.'

55

'Toen ik 55 werd, besloot ik freelancer te worden. Er waren constant fusies en reorganisaties. Ik wilde niet het risico lopen om op mijn 58ste via een afvloeiregeling weg te moeten. Bovendien wilde ik terug naar het schrijven, in plaats van almaar te managen. Ik ben toen voor mijzelf begonnen: columns, boeken schrijven, lezingen, congressen leiden. Ik heb er altijd voor kunnen zorgen dat ik erbij bleef. En nog steeds. Ik voel me gezond, ondernemend. Tegelijkertijd wordt het op mijn leeftijd kort dag, denk ik weleens. Er zijn zo veel dingen die ik nog graag zou willen doen. Als vrijwilliger bij het Dolfinarium werken bijvoorbeeld. En zo kan ik nog een hoop dingen bedenken.' (HK)

'Ik ben een heel ander mens geworden'

Ik werkte voorheen bij de bibliotheek. De eerste twintig jaar vooral achter de balie, de laatste vijf op de marketingafdeling. Bibliotheken moeten nieuwe strategieën bedenken om publiek te trekken. Op zich interessant werk, maar een deel van de bibliotheekmedewerkers bij de balie zag niet goed dat ze wat extra's moesten bieden. Dat "trekken" aan mensen houd je twee, drie jaar vol. Maar langer niet. Tuinieren was een uit de kluiten gewassen hobby. Maar de stap naar een eigen bedrijf was moeilijk: ik zat natuurlijk niet voor niets 25 jaar op dezelfde plek. Van nature ben ik bovendien vrij volgend. Ik heb eigen ideeën, maar echt leidend, dat was ik nooit. Bovendien was ik kostwinner.

Ondertussen werd ik steeds ongelukkiger. Gefrustreerd ook. Ik zag mezelf daar niet tot mijn 65ste zitten. Na twee jaar ben ik een opleiding tot hovenier/tuinontwerper gaan volgen. In eerste instantie met het idee een eigen bedrijf te starten naast mijn vaste baan. Ik werkte drie dagen in de bibliotheek, ging 's avonds naar school en had ook al klussen via mijn bedrijf Tuin van de buren, dat ik in maart 2012 was gestart. Toch kon ik de knoop niet doorhakken en ontslag nemen.

Die zomer ging ik met mijn man naar een vriendin in Spanje. Die had van de ene op de andere dag haar baan opgezegd. En daar werd ze zo gelukkig van. In de auto terug naar huis zei ik tegen mijn man: "Dit moet ik ook doen". Eenmaal thuis stelde ik het weer uit. Totdat een paar weken later een dierbare collega twee hartaanvallen kreeg. Toen dacht ik: nu is het genoeg. Ik ga liever dood in de tuin dan achter die computer.

Sindsdien loopt het aardig. Veel verdien ik nog niet en ik maak me soms zorgen: wat als er geen volgende opdracht komt? Maar dan denk ik meteen: wat een onzin. Mijn man is al een tijd met succes zzp-er. In feite heeft hij de kostwinner-rol overgenomen. Zelfs als hij zonder werk komt te zitten, houden we het een tijdje uit.

Ik ben heel blij dat ik deze stap genomen heb. Ik word er creatief van, het geeft veel energie. Ik wist bovendien niet dat ik zo ondernemend kon zijn. Ik neem meer dan vroeger het heft in eigen handen, ben doortastender. Eigenlijk ben ik een heel ander mens geworden. Of misschien was ik het al wel, maar zag ik het zelf niet. Laatst kwam ik een oud-collega tegen. Ik vertelde dat ik een eigen tuiniersbedrijf had. "Oh", zei ze. "maar dat heb je toch altijd al willen doen?"' (HK)

Moniek de Bakker
(51 jaar)

Ton Wilthagen, hoogleraar arbeidsmarktvraag-stukken aan de Tilburgse universiteit, weet zeker dat de arbeidsmarktkansen voor 45-plussers gaan verbeteren. De vraag is wel of tegen die tijd het begrip 'vaste baan' nog bestaat.

HET BEGRIP 'VASTE BAAN' VERDWIJNT

Wat is er aan de hand? Een jaar of 15 geleden zaten 45-plussers nog stevig in het pluche, en nu stijgt de werkloosheid onder deze groep, en is de kans op een nieuwe baan minimaal. Hoe komt dat?

'De slechte positie van ouderen op de arbeidsmarkt komt voor een groot deel door de crisis. Maar ook speelt een rol dat werkgevers in Nederland een stuk negatiever denken over oudere werknemers dan werkgevers in andere landen. Uit onderzoeken blijkt dat werkgevers denken dat de kosten van oudere werknemers niet in relatie staan tot hun productiviteit.

Dat is niet per se terecht, maar het beeld bestaat wel. En zolang werkgevers kunnen kiezen, kiezen ze daarom voor 45-minners.'

'In werkelijkheid stijgen de kosten van oudere werknemers niet zo hard als gedacht. Het salaris blijft niet eindeloos groeien. Ouderen zijn productief, en relatief weinig ziek. Maar áls ze ziek zijn, dan zijn ze ook relatief wat langer ziek.'

'We denken dat we goed voor ouderen zorgen doordat werkgevers bij ziekte nog twee jaar moeten doorbetalen, en door onze relatief hoge ontslagvergoedingen. Maar die twee zaken maken het vooral voor mkb-ers niet heel aantrekkelijk om ouderen in dienst te hebben. Dus ze zijn niet per se gunstig voor ouderen.'

'Dit probleem gaat zichzelf oplossen. In 2040 is het er niet meer. Tegen die tijd zijn er zo veel meer ouderen dan jongeren, dat werkgevers geen keus hebben. We hadden de invloed van die demografische ontwikkeling al veel eerder verwacht, maar de crisis gooit roet in het eten. Nu hebben we zorgen over jongeren én ouderen. De jongeren dreigen een verloren generatie te worden, de ouderen een afgeschreven generatie.'

2040 is nog heel ver weg. Wat kun je morgen als individu doen?

'In Duitsland hebben ze mini-jobs bedacht. Voor 400 euro per maand gaan mensen aan de slag. Daar zit wel subsidie bij, want weinig mensen kunnen van 400 euro leven. Maar het heeft een hoge vlucht genomen. Dus wat je kan doen, is jezelf enorm goedkoop maken.'

'De Rotterdamse wethouder Marco Florijn pleit voor een flexibele uitkering. Dan kun je in een week 6 uur werken, of 15, en dat verrekenen met je uitkering. Je mag iets houden van de opbrengst. Ik denk dat zoiets erg kan helpen, dan kun je jezelf goedkoop aanbieden voor een paar uur.'

'We hebben in Nederland nu vooral een alles-of-niks-systeem – uitkering of full time baan – en momenteel draait dat vooral uit op niks.'

'Een populaire route is om te gaan ondernemen als zzp-er. Dat is alleen een goed idee voor mensen die ondernemend van aard zijn. Je moet er weloverwogen aan beginnen, en je niet in het zzp-schap laten sturen. Want het kan een gevaarlijk avontuur zijn. Je gaat kosten maken, schulden, en je eindigt misschien slechter dan je er aan begon.'

'Louter cv's rondsturen op zoek naar de vaste baan zou ik ook niet aanbevelen. Je wordt er alleen maar depressief van. Je kunt elkaar als werklozen steunen in zelfhulpgroepen. Dat is beter dan thuiszitten, maar het helpt je niet aan werk.'

'Wat je beter kunt doen, is zo veel mogelijk contacten met bedrijven tot stand brengen. Banen ontstaan daar waar iemand iets kan en een bedrijf iets wil. Ga naar open dagen en andere gelegenheden. Als ik zelf een nieuwe medewerker zoek, dan heb

Ton Wilthagen is hoogleraar Institutionele en juridische aspecten van de arbeidsmarkt en directeur van het onderzoeksinstituut ReflecT aan de Universiteit van Tilburg. Hij heeft het begrip flexicurity ontwikkeld: het combineren van een flexibele arbeidsmarkt met nieuwe zekerheden. Wilthagen is adviseur van de Europese Commissie en van diverse nationale overheden en organisaties.

ik geen zin om te adverteren en al die brieven te lezen. Wij zouden eerst kijken wie we kennen, en wie die mensen weer kennen. Dus je moet zorgen dat je in de juiste netwerken zit. Ik zie mensen die daar heel succesvol in zijn.'

'Je moet ook iets aan je cv doen. Vaak is van ouderen niet goed inzichtelijk wat ze kunnen. Hun laatste diploma is vaak oud, en de functie die ze hadden bestaat soms niet meer. Mensen hebben vaak allerlei dingen gedaan en geleerd die niet in een klassiek cv staan. Laat je cv omschrijven naar een dieper niveau van competenties. Als je bijvoorbeeld baliemedewerker bent geweest bij ABN Amro, en de balie is overal opgeheven, dan heeft het weinig zin om als baliemedewerker te solliciteren. Maar je hebt allerlei vaardigheden opgedaan. Je kunt die ervaring op een systematische manier documenteren in een e-portfolio. Dan breng je jezelf heel anders in beeld.'

'In Frankrijk werd een tijd geleden een aluminiumfabriek gesloten. Het was een ramp voor de regio waar die fabriek stond. De regio heeft alle werknemers gevraagd naar hun voorkeuren en competenties. Veel mensen bleken iets te hebben met tuinieren of koken. Toen zijn twee nieuwe bedrijven rond die competenties opgebouwd, een groenvoorziening en een cateringbedrijf. Dat illustreert dat je langs die route in beeld komt voor heel ander werk.'

5 tips van Ton Wilthagen

1 Maak jezelf enorm goedkoop

2 Stop met cv's wegsturen. Ga netwerken

3 Fantaseer een bedrijfsplan bij elkaar met je netwerk, alsof je over een restaurantje in Portugal droomt

4 Maak een e-portfolio. Laat je hierbij helpen
www.e-portfolioforall.nl

5 Overweeg omscholing, bij voorkeur met baangarantie

'Cv's rondsturen maakt alleen maar depressief. Zorg dat je zo veel mogelijk contacten met bedrijven tot stand brengt.'

'Er zijn ondernemers die lagelonen-werk dat ooit naar China was verdwenen weer hebben teruggehaald. Ze nemen mensen uit een uitkering of een sociale werkvoorziening in dienst, met subsidie. We geven in Nederland bijna 11 miljard euro uit aan uitkeringen. Dat is heel veel potentiële subsidie.'

Dus een complete weggereorgani-seerde afdeling zou met een beetje fantasie een mooi bedrijf kunnen beginnen?
'Ja. Op verjaardagsfeestjes van 45-plussers droomt toch iedereen wel eens van een restaurantje in Portugal? Als we niet meer hoeven te werken, dan gaan we dingen doen die we echt leuk vinden. Als jij dat restaurantje begint, dan start ik een hotel. En dan ga ík de gasten tennis-les geven.'

'Je kan die plannen ook nú maken, en meer realistisch. Wat kan jij, wat kan ik? We maken een bedrijfs-plan en stappen naar de gemeente om te vragen of ze ons een tijdje willen ondersteunen met uitkeringsgeld. Dat kun je met een complete wegge-saneerde afdeling doen. Of met andere mensen uit je netwerk. Vaak vinden mensen het heel leuk om daarover na te denken.'

'Ik ben zelf aan het nadenken hoe je ouderen zou kunnen inzetten als mentor voor jongere werknemers. Misschien is er met scholingsfondsen iets af te spreken. Bedrijven zitten vaak met jongeren in hun maag. Ze komen niet op tijd, en hebben moeite met gezag. Je zou een oudere een paar uur per dag kunnen vrijmaken om mentor te zijn van zo'n starter. En dat kun je ook als individu doen. Bied jezelf als mentor aan.'

Is het tijd om de vaste baan uit het hoofd te zetten?
'Dat denk ik wel. De standaardeen-heid op de arbeidsmarkt is steeds minder een vaste baan, en steeds

'We leven langer, het zal steeds vaker voorkomen dat we een of twee keer van beroep veranderen.'

meer een project, een taak, een stukje baan en tijdelijk werk. Dat betekent dat iedereen meer ondernemend zal moeten worden. Jongeren ervaren dat al, die doen vaak allerlei losse dingen. Als je vast blijft houden aan die 40-urige vaste baan, dan kan dat veel frustraties opleveren. Je kunt je beter richten op verschillende kruimels werk. Bak daar een mooi brood van. Historisch gezien is de vaste baan maar een heel korte periode dominant geweest. Eeuwenlang oefende je je vak uit in een gilde, voor allerlei verschillende klanten. Door de industrialisering was het op een gegeven moment handig om veel mensen bij elkaar in een fabriek te zetten, en allemaal tegelijk dezelfde dingen te laten doen. Dat is niet meer nodig, we gaan terug naar de gilden.'

En is opnieuw studeren een optie?
'We leven langer, het zal steeds vaker voorkomen dat we een of twee keer van beroep veranderen. In die zin is

studeren altijd zinvol. Maar het is duur. Je kunt dat het beste doen als je zeker weet dat een bedrijf je nodig heeft met die opleiding.'

'Je kunt daarnaast een soort basisbaan zoeken. Ik ken bijvoorbeeld iemand die de pabo is gaan doen, en om daar tijd en energie voor te hebben, heeft hij overdag een eenvoudige baan in een kartonfabriek. Een goede strategie. Veel 45-plussers deden dat ook in hun studententijd. Je moet wel je behoefte aan status loslaten. Maar dat is sowieso handig om te doen.'

Kan een loopbaancoach helpen?
'Positieve aandacht en steun kunnen enorm motiveren. Maar ik zou die coaching wel in banen willen leiden, om maar een passende beeldspraak te gebruiken. Veel coaches helpen je om te zoeken naar je passie of je diepste verlangen. Als je dat gaat doen, zou ik parallel daaraan blijven zoeken naar kansen op basis van je competenties.' (DS)

Voor het eerst slaat de werkloosheid toe bij de hoger opgeleide 45-plusser

DE CRISIS HAKT ERIN

De hoger opgeleide 45-plusser zat de afgelopen decennia stevig in het pluche. Maar sinds de zomer van 2012 sloeg de werkloosheid dramatisch toe.

Tot nu toe was de hoger opgeleide 45-plusser de ellende van recente crises bespaard gebleven. Ook nadat in september 2008 Lehman Brothers failliet ging en een flinke economische crisis uitbrak, bleef de hoger opgeleide 45-plusser nog gewoon aan het werk.

'We hadden een hoogconjunctuur achter de rug, bedrijven hadden geld waarmee ze hun ervaren krachten konden behouden', verklaart Gerald Ahn, senior arbeidsmarktadviseur bij UWV. 'Eerst deden bedrijven hun tijdelijke personeel eruit, voornamelijk jongeren en schoolverlaters. Daarna kwamen de lager opgeleiden uit de maakindustrie op straat.'

'Opvallend is dat werkgevers de hoger opgeleide 45-plussers lang hebben proberen vast te houden. Waarschijnlijk hebben ze deels andere werkzaamheden gezocht voor hun beste medewerkers. Maar na de tweede of derde krimpronde, moeten ze hun ervaren hbo-ers laten gaan. In de tweede helft van 2012 zie je dat gebeuren, en is de werkloosheid heel sterk gestegen. Het is voor het eerst dat deze categorie in deze mate werkloos is. Dat komt natuurlijk ook doordat de groep hoger opgeleiden de afgelopen decennia hard is gegroeid.'

Explosieve werkloosheidsgroei 45-plussers

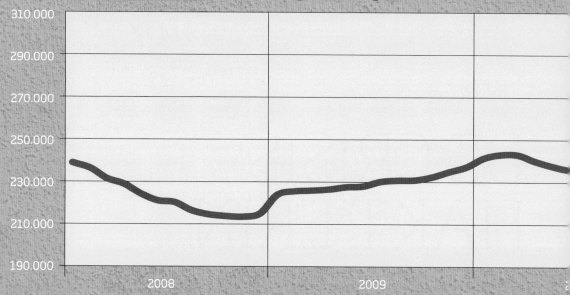

Werkloosheidsgroei hoger opgeleide 45-plussers

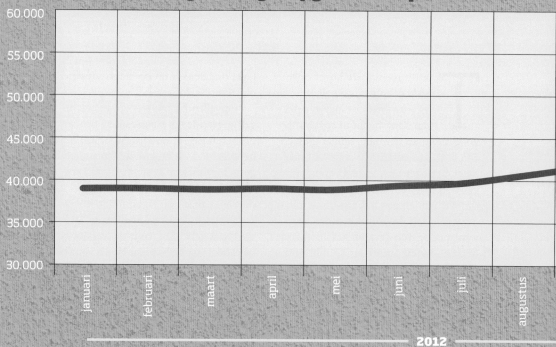

2012

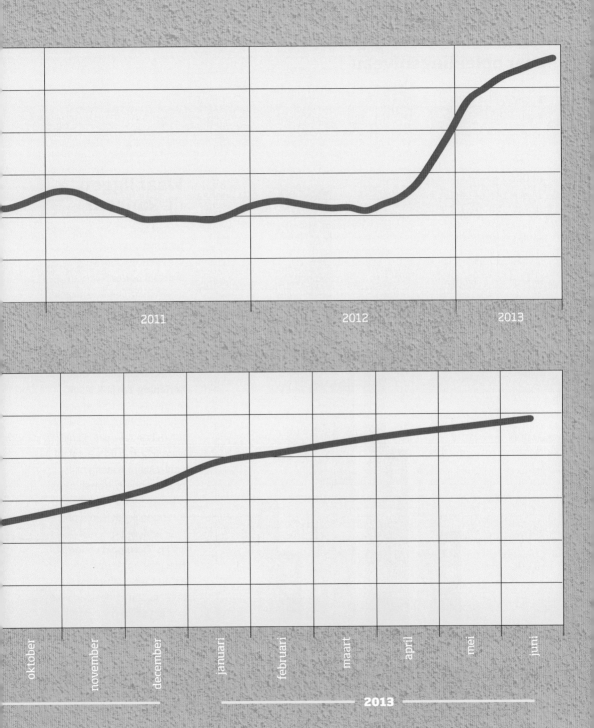

2011　　　　　2012　　　　　2013

oktober　november　december　januari　februari　maart　april　mei　juni

2013

Sterkste stijgers aantal werkzoekende 45-plussers naar opleidingsniveau

■ juni 2012
▨ juni 2013

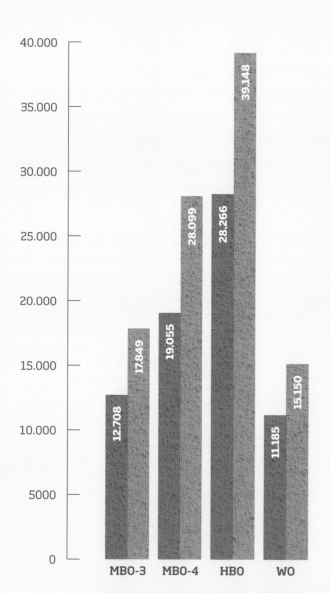

Waar liggen de kansen?

Gerald Ahn: 'Goed opgeleide **technici** vinden nog steeds wel werk, en door vergrijzing ontstaat ook een vervangingsvraag. Dat laatste geldt ook voor de **zorg**, daar ontstaan weer kansen en mogelijkheden. Ook voor mensen met managementkwaliteiten in de **commerciële dienstverlening** zijn er kansen, vooral als ze commercieel gevoel hebben. We verwachten dat de zakelijke dienstverlening in 2014 weer gaat aantrekken. **Welzijn** blijft problematisch, **kunst** is heel moeilijk. Mensen uit die sectoren zou ik adviseren om naar andere branches te kijken. **Transport** en **logistiek** gaat op termijn weer aantrekken. Naarmate het beter gaat met de economie worden de kansen voor 55-plussers groter. Grotere bedrijven zijn soms wat meer geneigd om ouderen aan te nemen, want hun klanten worden ook ouder.

In welke branches vind je de meeste werkzoekende hoger opgeleide 45-plussers (hbo en wo)?

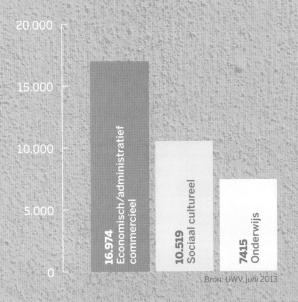

16.974 Economisch/administratief commercieel

10.519 Sociaal cultureel

7415 Onderwijs

Bron: UWV, juni 2013

Hoe snel weer een baan?

Recente cijfers zijn er niet, nu de werkloosheid onder 45-plussers onlangs zo hard is gestegen. Volgens Gerald Ahn van UWV moeten 45-plussers gemiddeld rekening houden met een zoektocht van enkele maanden. Het is volgens Ahn belangrijk, om na een ontslag, ondanks de rouw om het verlies van een baan, snel, gemotiveerd en daadkrachtig op zoek te gaan naar werk.

Dromen van wat anders...

Driekwart van de Nederlandse werknemers wil best een andere baan. 83 procent staat open voor een andere functie in hetzelfde bedrijf, 77 voor een vergelijkbare functie in dezelfde sector en 69 voor een vergelijkbare functie in een andere sector. Meer salaris, een nieuwe uitdaging en gemotiveerd blijven zijn de belangrijkste argumenten om een andere baan te willen.

Maar tussen droom en daad gaapt een grote kloof. Van de hoger opgeleide 45-plussers wil ruim de helft de zekerheid van zijn huidige vaste baan niet opgeven. Van de leeftijdsgroep 54-45 jaar zegt 39 procent dat ze nu op de goede plek zitten. Van de 55-plussers zegt 46 procent dat.

30 procent van de 55-plussers acht zich niet in staat om ander werk te vinden. Van de groep tussen 45 en 54 jaar is dat 11 procent.

Het UWV biedt proefplaatsingen aan: twee maanden een werknemer op proef, met behoud van uitkering. Adverteer daar eens mee in een open sollicitatie: 'Neem mij op proef, u zult geen spijt krijgen, lees de voorwaarden in de bijsluiter.'

Waarom wil je een andere baan, ook als dat niet noodzakelijk is?

Een hoger salaris staat op 1 voor de jongeren onder de 45-plussers. Maar het knaagt ook op andere fronten. Een nieuwe uitdaging, gemotiveerd blijven, ontplooien en doorgroeien scoren ook vrij hoog. Let op de verschillen tussen de generaties. 55-plussers lijken volgens dit onderzoek wel een beetje klaar met doorgroeien

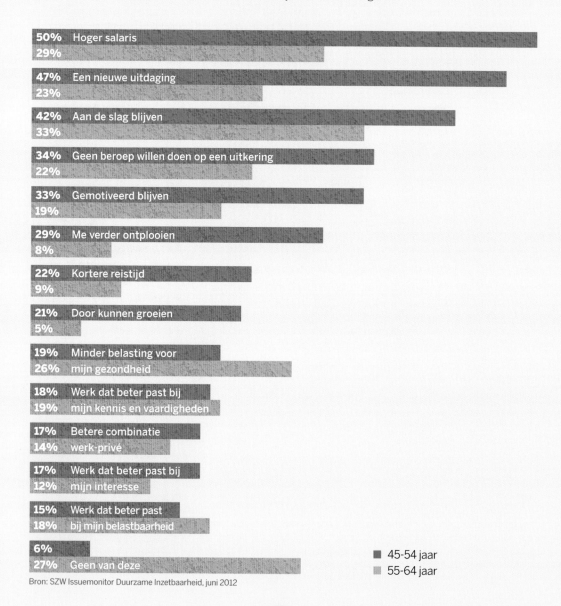

50%	Hoger salaris	
29%		
47%	Een nieuwe uitdaging	
23%		
42%	Aan de slag blijven	
33%		
34%	Geen beroep willen doen op een uitkering	
22%		
33%	Gemotiveerd blijven	
19%		
29%	Me verder ontplooien	
8%		
22%	Kortere reistijd	
9%		
21%	Door kunnen groeien	
5%		
19%	Minder belasting voor	
26%	mijn gezondheid	
18%	Werk dat beter past bij	
19%	mijn kennis en vaardigheden	
17%	Betere combinatie	
14%	werk-privé	
17%	Werk dat beter past bij	
12%	mijn interesse	
15%	Werk dat beter past	
18%	bij mijn belastbaarheid	
6%		
27%	Geen van deze	

■ 45-54 jaar
■ 55-64 jaar

Bron: SZW Issuemonitor Duurzame Inzetbaarheid, juni 2012

Carrièreswitch

'Ja, ik geloof dat ik een carrièreswitch heb gemaakt', zo beëindigde ik het telefoongesprek met een oud-collega van de verzekeringsmaatschappij waar ik vroeger werkte. Peinzend keek ik uit over de A2 en liet het woord 'carrièreswitch' rondzingen in mijn hoofd.

Een jaar daarvoor was ik binnengelopen bij Van Ede & Partners aan de Sophialaan in Amsterdam. Ik had een afspraak met Carina Benninga, directeur van die vestiging. Ik was 54, had allerlei banen gehad in de financiële wereld, stond op straat na mijn laatste opdracht om een verzekeringsbedrijf – onderdeel van een multinational - zelfstandig neer te zetten, en was ervan overtuigd dat het lastig, zo niet onmogelijk zou zijn om weer een baan te vinden.

Halverwege mijn verhaal onderbrak Carina mij: 'Jij hebt last van stressvolle gedachten. Zolang je daarin gelooft, zit je vast.' Na een half uur stond ik buiten met de opdracht mij te verdiepen in 'The Work' van Byron Katie en het dringende advies iets te doen aan mijn fysiek. Zo begon ik aan mijn trainingsprogramma bij Van Ede & Partners. Elke dag maakte ik een stevige wandeling, de kilo's vlogen eraf, het hoofd werd weer fris.

Ik keek uit naar mijn gesprekken met Carina, waarna ik altijd vitaal en vol idee-en thuiskwam. Toen ik tijdens zo'n gesprek weer eens zat af te geven op mijn vertrek, vroeg ze: 'Geef eens drie redenen waarom het goed is voor jou en drie redenen waarom het goed is voor het bedrijf dat je weg bent.' Tot mijn verassing kostte dat geen moeite. Wat een opluchting mezelf te horen zeggen dat ik gewoon geen zin meer had in dat werk.

We keken samen naar mijn zelfanalyse. Ik moest daarin successen benoemen uit mijn leven, werk en privé. Vertellen over mijn leukste banen en, heel spannend, mijn vrouw, vrienden en oud-collega's hun mening over mij laten geven. Gaandeweg werd mij duidelijk dat ik niet zo nodig terug hoefde naar het soort werk dat ik altijd gedaan had. Ik zag de coachingopleiding die ik ooit had gevolgd en waarvan ik altijd had gezegd dat ik die voor mijn eigen ontwikkeling deed, dat ik er nooit 'iets' mee zou doen als coach, opeens in een ander licht. Daar lag mijn hart.

Rijdend over de A2, het woord 'carrièreswitch' rondzingend in mijn hoofd, zette ik tevreden de muziek harder. Luisterend naar The Boss dacht ik: goed gedaan jongen …

Hans Croes Tegenwoordig algemeen directeur Van Ede & Partners

Fotografie: Suzanne Liem

Zoek je talent

Doe waar je goed in bent. Dat ligt voor de hand, maar je kunt zomaar in werk rollen dat helemaal niet bij je past. Ga op zoek naar je unieke talent, zegt Jan de Dreu, die samen met Kees Gabriëls het *Handboek voor talent* schreef. 'Adem in, adem uit, zoek je talent en pak het vast.'

Iedereen heeft een uniek talent en wie dat in werk weet te benutten, boort een eindeloze bron van voldoening aan en wordt bovendien ook steeds beter in dat werk. Jan de Dreu (64), verbonden aan opleidingsinstituut Pulsar, weet het uit ervaring. Zijn talent is onderwijzer en misschien wel de belangrijkste les leerde hij zichzelf: zet je talent optimaal in, want daar vaart iedereen wel bij.

Hij ontdekte het rond zijn 43ste. 'Ik was interim-manager bij een bureau dat liep als een trein. Maar ik had één pro-bleem: ik kon er mijn talent als onder-wijzer niet kwijt en dat voelde niet goed. Het begon te wringen. Ik werd bij op-drachtgevers binnengehaald om de boel te saneren, maar dan was mijn voorstel om met het managementteam en de staf te gaan trainen. Dat is nou eenmaal mijn aard. Als men dat niet goed vond, moest de klant maar iemand anders zoeken. Die houding ging ons bureau klanten kosten en daar werd natuurlijk niemand blij van. Dat is op een gegeven moment geëscaleerd, wat mij tot een midlifecrisisachtige toestand heeft ge-

Illustraties: Jan de Dreu

Tip 1 Halverwege je carrière? Neem een time out en vraag je af of je werk wel past bij je talent.

Tip 2 Op zoek naar een baan? Leg de functie-omschrijving terzijde en leg uit wat jouw talent kan toevoegen.

Tip 3 Ontslagen? Neem de tijd om het te verwerken, maar blijf niet hangen in wrok. Ontslag is een kans.

Tip 4 Overweeg je een nieuwe baan? Leg iedere optie op de weegschaal van je talent. Je wordt er óf warm óf koud van.

Tip 5 Moe van het werk? Zoek een passie en neem de tijd voor ogenschijnlijk nutteloze bezigheden.

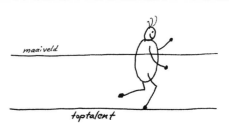

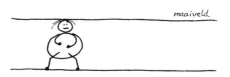

hem ook het inzicht dat je op zoek moet naar werk waarbij de inhoud past bij jouw specifieke en unieke talent. 'Dit proces heeft me de ogen geopend', zegt De Dreu, die sindsdien talloze trainingen heeft gegeven rond dit thema en dan ook het ene na het andere voorbeeld uit zijn mouw kan schudden. Want hijzelf is echt de enige niet die in een rol terecht is gekomen die hem eigenlijk niet past.

Neem de man die was opgeklommen tot de directie van een bejaardentehuis. 'Hij had twee keer een gele kaart gekregen omdat beleidsnota's niet op tijd klaar waren. Mogelijk zou hij zijn functie verliezen en hij werd dus in zijn status bedreigd. Vol wrok kwam hij bij mij, maar ik kwam er niet doorheen met mijn verhaal over talenten. Op een gegeven moment heb ik 'm gevraagd wat de leukste ervaring was in zijn carrière.

leid: hoe moest ik verder? Ik heb besloten trainingen te gaan geven. Daar kan ik me goed in ontplooien en dat kan ik verder aanscherpen. Ook volgens mijn vrouw ben ik een stuk gelukkiger zo.' De affaire bracht De Dreu een nieuwe carrière, waarin hij veel beter op z'n plek is. Maar dat niet alleen: het bracht

'Verzuring stopt echt niet als je eindelijk met pensioen bent. Er zijn bejaardentehuizen vol met verzuurde mensen.'

Zijn ogen begonnen te glinsteren en hij vertelde over de tijd dat hij als coassistent complexe kwalen behandelde. Dat deed hij twintig jaar geleden: puzzelen, uitvissen hoe hij mensen het beste kon helpen. 'Dus jij bent een echte dokter', zei ik toen. Dat was de doorbraak. Zo was hij ooit begonnen, maar hij was met zijn talent in een verkeerde functie terechtgekomen. Nu is hij weer dokter.'

Hoe je erachter komt wat jouw unieke talent is? Soms is het lastig, omdat het diep verstopt kan zitten. 'Maar het is altijd te ontdekken', zegt de trainer. 'Ik doe een korte meditatie met tien mensen en ik hoor aan hun stem of ze het over hun werkelijke, unieke talent hebben. Maar je kunt het ook zelf ontdekken. Een hulpmiddel is proberen je te bedenken wat je het liefst deed toen je een jaar of zeven was. Uniek talent zit er al vroeg in en toen deed je van nature waar je goed in was.'

Dat kan tot de conclusie leiden dat er een radicale omslag nodig is. 'Een onderwijzer kan bouwvakker worden, of andersom. Ik ken een vrouw die iets dufs deed op een kantoor en tot de ontdekking kwam dat ze zangeres wilde zijn. Nu zit ze bij de opera. Haar talent moest kennelijk wat rijpen. Opleiding speelt bij een dergelijke switch minder een rol naarmate je ouder bent. Als je de veertig bent gepasseerd, heb je laten zien wat je kunt. Ook al was dat in een verkeerde jas, er zitten altijd elementen in die laten zien waar je goed in bent.'

Het hoeft echter niet altijd om een radicale verandering te gaan: binnen een baan zijn vaak ook mogelijkheden om accenten anders te leggen. 'Een boekhouder was ongelukkig in zijn functie. In een gesprek kwam naar voren dat hij in zijn vrije tijd zweminstructeur was en dat hij daarbij wel met zijn talent bezig was. Het bleek dat hij in zijn functie een meer coachende rol kon krijgen, wat voor hem een wereld van verschil in welbevinden betekende.'

Dat het gebruiken van talenten ook binnen bestaande functies tot verrassende resultaten kan leiden, toonde De Dreu aan toen hijzelf enige tijd geleden een paar maanden geen werk had en met het UWV te maken kreeg. 'Ik kreeg een als zeer persoonlijk gepresenteerd

33

'Soms zou je
alle veertigers
toewensen dat
ze hun baan
kwijtraken.
Of ontslag
nemen, dat kan
natuurlijk ook.

Gewoon, even
een time-out,
om te kijken of
het werk dat
je doet nog
wel past bij je
talent.'

loopbaan

20 jaar

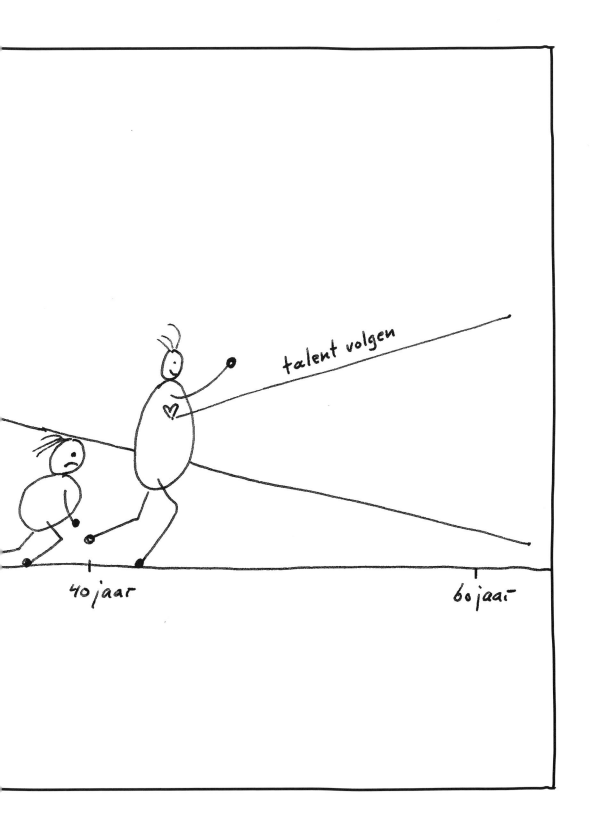

'Naarmate je trouwer bent aan je talent, ben je ongehoorzamer aan de organisatie.

En dat zal heus problemen met zich meebrengen. Maar dat hoort nou eenmaal bij werk.'

voorstel om te gaan werken als trein-conducteur op een lijn van Syntus. Er was over mij nagedacht en dat zou he-lemaal bij mij passen, was de bood-schap. Ik heb daar toen een vrij boze column over geschreven, waarop ik werd uitgenodigd voor een gesprek. Het leidde ertoe dat ik een training mocht geven aan een groep van tien consulenten, die vervolgens met de werkwijze aan de slag zouden gaan. Het ging om tien mensen die een identieke functie hebben en als lucifers in een doosje volgens dezelfde protocollen moeten werken. Terwijl ze natuurlijk ook alle tien hun eigen, unieke talent hebben. Het idee is dat ze de cliënten gaan benaderen vanuit hun eigen ta-lent. Is het jouw talent om mensen een schop onder hun kont te geven? Doen, want als je trouw blijft aan je talent, raak je met de cliënt op een dieper niveau. De eerste training ging over hun eigen talent, de tweede over hoe ze bij de cliënten hun talent kunnen ont-

dekken. Het was een sensatie: mensen kwamen totaal anders de deur uit.'

Of de baas van het UWV er blij mee is als de lucifers uit het doosje op hun unieke manier aan het ontvlammen slaan, is even vraag twee, erkent deze ex-cliënt. 'Natuurlijk, naarmate je trou-wer bent aan je talent, ben je ongehoor-zamer aan de organisatie. En dat zal heus problemen met zich meebrengen. Maar ja, dat hoort nou eenmaal bij werk', relativeert hij.

En weer komt er een voorbeeld. 'Op twee locaties van een bejaardentehuis werkten twee locatiemanagers, in iden-tieke functies. Een van hen was als ver-pleegkundige begonnen en was eigenlijk altijd bang voor het moment dat hij door het ijs zou zakken. Hij keek enorm op naar zijn collega, die had gestudeerd. Maar in gesprekken met de twee, bleek dat ze beiden heel goed in staat waren om kwaliteiten van de ander te benoe-men.' Met andere woorden: ze deden het beiden goed, maar ieder op hun eigen

Versla je draken en vind je talent

Dit sympathieke boekje van Jan de Dreu en Kees Gabriëls helpt je om je talent in één woord te benoemen, zodat je ernaar kan streven om vooral dingen te doen waar je goed in bent.

Ook ontdek je de krachten in jezelf die je klein houden en afremmen. Die worden draken genoemd in dit boek. Je moet ze onder ogen komen. Want de kunst is om je talent te ontplooien, en de draken klein te houden. Draken zijn bijvoorbeeld: pleasen, regelzucht, faalangst, stoer doen.

Hoe versla je je draken?

1 Kom ze onder ogen. Kies er één uit voor de strijd.
2 Neem hem eindeloos waar. 'Daar is hij weer.' Niet veroordelen, alleen vaststellen. Zo wordt-ie mak.
3 Voor gevorderden: zie je eigen team als een verzameling draken. Wijs elkaar respectvol op gedrag van een draak. De sfeer knapt op.

Dit vlot geschreven boek lees je in een middag uit, en het inspireert om eens goed te zoeken naar je talent. De auteurs hebben bijvoorbeeld als talent 'onderwijzer' en 'verhelderaar'.

Als je dat ene woord voor jezelf te pakken hebt – soms heb je er een workshop voor nodig – dan kan dat zeer behulpzaam zijn om je leven en loopbaan opnieuw richting te geven. (DS)

Handboek voor Talent
Jan de Dreu en Kees Gabriëls
88 pagina's
Hardcover met leeslint
ISBN 97890851631124
€ 14,95
www.handboekvoortalent.nl

IK BEN EEN TALENT

manier. 'Durf je eigen regime te maken', benadrukt De Dreu. 'Als je trouw blijft aan je natuur, is dat ook goed voor het tehuis waar je voor werkt, al heb je misschien wel je baas iets uit te leggen.'

En daar kun je niet vroeg genoeg mee beginnen. 'Ik moet soms zo ontzettend lachen om functieomschrijvingen in personeelsadvertenties. Geen mens voldoet daaraan. Ze zijn gemaakt vanuit het schema van de beoordelingen. Ik heb ook aan de andere kant van de tafel gezeten en als mensen schrijven dat ze overal aan voldoen, gaat de brief onmiddellijk terzijde. Dat kan helemaal niet! Een werkgever is net zo onzeker als de sollicitant, want hij loopt het risico de verkeerde in huis te halen. Laat dus gewoon zien wat je wel kunt. Laat je eigenheid zien, toon je talent. Ik voldoe niet aan de functie-eisen, maar heb wel recht van spreken.'

'Soms zou je alle veertigers toewensen dat ze hun baan kwijtraken', peinst De Dreu hardop. 'Of ontslag nemen, dat kan natuurlijk ook. Gewoon, even

een time-out, om te kijken of het werk dat je doet nog wel past bij je talent. Adem in, adem uit, zoek je talent en pak het vast, houd het in je handen. En ga dan om je heen kijken: wat zijn je kansen? Intuïtief weet je of het je dichter bij je talent brengt. Zo ja? Doen. En anders niet, want dan ga je een dubbelleven leiden en wordt je werk een gevangenis. Ik ken mensen die al twintig jaar voor hun pensioen de dagen aftellen dat ze mogen stoppen met werken. Elke dag met lood in de schoenen naar het werk. Je moet er niet aan denken, want dan is niet alleen het werk vervelend, maar slaat de algehele verzuring toe. Dan is het thuis ook niet leuk meer, want die ellende ga je afreageren. En dat stopt echt niet als je dan eindelijk met pensioen bent. Er zijn bejaardenhuizen vol met verzuurde mensen.'

Tot slot heeft De Dreu nog één advies voor wie plezier in zijn werk wil hebben en houden: zoek een passie. 'Als je aan de slag gaat met je talent, leg je je ziel en zaligheid in je werk. Dat is een gevende kracht. Mooi, maar daar word je wel moe van. Je hebt voeding nodig en het best gaat dat met een onnuttige activiteit. Ik mag bijvoorbeeld graag vogels kijken. Heerlijk, daar krijg ik rust en energie van, maar verder dient het geen doel. Neem er de tijd voor, trek er een dag voor uit om hoe dan ook met je passie bezig te zijn. Ja, dan is die hardwerkende papa of mama nóg een dag van huis, maar dat is beter dan een uitgebluste ouder op de bank.' (LO)

Trek je eigen plan

Word je eigen werkgever. Dat is mijn kernboodschap voor je tweede carrière. De tijden van vast werk en een baangarantie zijn voorbij. De 'knuffeleconomie' is niet houdbaar gebleken, als gevolg van hardere concurrentie op de arbeidsmarkt, de arbeidsmigratie in Europa en ingrijpende kostenreducties.

Ook in het vangnet van sociale verzekeringen en voorzieningen worden steeds hardere en scherpere keuzes gemaakt. Vadertje Staat trekt zich terug uit de zorg van de wieg tot het graf. Juist daarom moet je als werknemer, als je daartoe in staat bent, zelf de regie nemen.

Een vaste aanstelling voor het leven met de garantie van een nominale oudedagsvoorziening is voorbij. Elk nadeel heeft ook zijn voordeel. De komende krapte op de arbeidsmarkt – nog dit decennium - doet de klassieke arbeidsverhouding tussen werkgever en werknemer kantelen in een 'werknemersmarkt'. Als je goed voorbereid bent, kun je daar in je tweede carrière de vruchten van plukken. Het uitgangspunt van de tweede carrière, is niet een 'nieuwe' vaste baan, maar inkomenszekerheid. Zorg dat je je tweede carrière leert managen als een nieuw bedrijf, als een een ondernemende werkgever. Als middenkader of hoger personeel kun je jezelf verheffen boven de materie door je te onderscheiden met het trekken van je eigen plan als zelfstandige en onafhankelijke professional in de Nieuwe Economie. De informatiemaatschappij, internet, sociale media, nieuwe en herontdekte beroepsgroepen en de eigentijdse vakorganisatie helpen jou om toekomstgericht te kunnen acteren. Waarom wachten op een sociaal plan en het UWV? Wat schiet je daar mee op?

We investeren wel in een 'body scan' om regie te voeren over ons eigen lijf. Voor een tweede carrière is het net zo. Wacht niet langer op de aankondiging van een reorganisatie of de volgende ontslagronde. Investeer in jezelf, doe een loopbaan scan en trek je plan je tweede carrière. Draai de rollen om door je actief te profileren als je eigen werkgever. Als wij je daar bij kunnen helpen, dan hoor ik dat graag.

Reinier Castelein
voorzitter van De Unie, vakorganisatie
voor middengroepen en hoger personeel
Reinier.Castelein@unie.nl

'De druk
is er vanaf'

Ik ben zo'n twintig jaar geleden bij een theater begonnen als wat toen publiciteitsmedewerker heette en zo verder omhoog geklommen. Tot 2006 werkte ik bij de Sociale Verzekerings Bank (SVB) als communicatieadviseur. Toen er gereorganiseerd werd, viel het doek. Ik kreeg daarna snel een andere baan, met een tijdelijk contract zoals tegenwoordig gebruikelijk is. Zo had ik een aantal tijdelijke banen , maar zonder werk zat ik nooit. Mijn laatste baan was als communicatieadviseur bij een woningcorporatie. Dat vond ik ontzettend leuk.

Maar toen drie jaar geleden vanwege de crisis flink bezuinigd moest worden, werd ook daar mijn contract niet verlengd. In eerste instantie dacht ik: Kom, dan gaan we toch door in een andere baan? Maar deze keer lukte het niet zo snel. Ik heb heel veel gesprekken gehad, nog steeds. Maar de concurrentie is groot. Er zijn altijd mensen die blijkbaar beter in het plaatje passen.

Vorig jaar november liep mijn uitkering af, maar had ik nog niets gevonden. En ja, je kunt je zorgen maken, maar dat schiet niet op. Je moet wat doen. Mijn partner heeft een vaste baan. Dat is mijn voordeel. Maar we hebben wel een koophuis en een auto. Om die te kunnen blijven betalen, moet ook ik een inkomen hebben.

Ik ben gaan nadenken: wat kan ik naast communicatie nog allemaal doen, eventueel onder mijn niveau. Na wat surfen kwam ik op een website voor postbezorgers. Dat leek me wel wat. Ik hoefde daarvoor niet eens een cv te overleggen. Ik had een gesprek en was binnen. Ik bezorg nu al bijna een half jaar 10 tot 15 uur per week post. En ik vind het best leuk om te doen. Ik ben lekker buiten. Ik heb een eigen wijk, maar val regelmatig in voor anderen. Dan kom ik op plekken waar ik nooit ben geweest. Zo leer je de stad kennen. Ik kan mijn tijd zelf inrichten. En als ik snel werk ben ik zo klaar.

Ik heb zeeën van tijd nu: heerlijk. Ik sport veel en heb geen gedoe aan mijn hoofd, geen stress. Bovendien is het mijn eigen keuze. Als ik wil, kan ik er zo mee stoppen.

Ik zie het post bezorgen wel als een tussenoplossing. Echt uitdagend is het natuurlijk niet. Ik wil toch wel graag een baan die ik leuk vind en waar ik echt goed in ben. Dus ik houd de banenmarkt goed bij en kijk elke dag even of er wat voor me is op mijn vakgebied. Maar die druk van "shit, er moet een baan komen" is er vanaf. En dat is wel lekker.' (HK)

Ton Claessen
(49 jaar)

'VOLG JE HART'

In het voorjaar van 2013 verscheen in verschillende Linkedingroepen voor 45-plussers een oproep om een enquête over 'je tweede carrière' in te vullen.

264 45-plussers deden mee. Ze reageerden op stellingen over de arbeidsmarkt en vertelden over hun toekomstverachtingen en dromen. Op de vraag: wat is het beste advies dat je ooit hebt gehad, zeggen 45-plussers massaal: Volg je hart.

De volledige enquêteuitslag vind je op www.jetweedecarrière.nl

Waarvoor werk je vooral?

- inkomen
- dagbesteding
- status/identiteit
- mezelf ontwikkelen
- contact met anderen
- iets zinvols bereiken
- anders

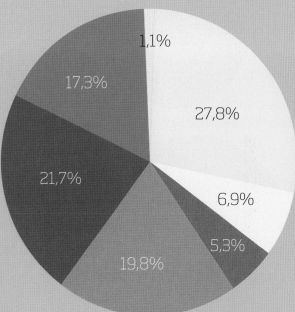

Denk je dat je werkend je pensioen haalt?

45-54 jaar
- ja
- nee

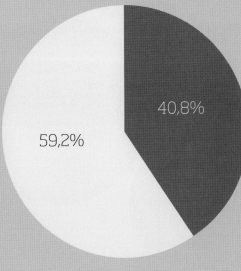

Denk je dat je werkend je pensioen haalt?

55-plus
- ja
- nee

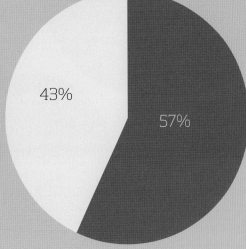

Blijf zitten waar je zit

Denk aan je inkomen

Blijf nog twee jaar tot dit project klaar is

Pak de eerste de beste baan die voorbij komt

Qua verdiensten en inkomen: volg je hart

Wat is het slechste advies dat je ooit kreeg?

Ik zou maar niet voor mezelf beginnen als ik jou was

Zoek je passie, heel leuk maar in deze tijd niet realistisch

Neem geen risico

Jij bent te oud om te studeren

Mensen weten jou wel te vinden

Ga weg
en grijp een
nieuwe
kans

Laat
jezelf
zien

Durf een
loopbaan-
traject

Volg je
hart

Geef
nooit op

Bedenk of
je aan het eind
van je leven met
plezier terugkijkt
op wat je hebt
gedaan

**Wat is het
beste advies dat
je ooit kreeg?**

Doe waar
je hart een
huppeltje van
maakt

Gewoon
dóen!

Blijf
trouw aan je
principes

Blijf niet
trekken aan een
dood paard (dat
zijn er best
veel)

Een
leven lang
leren

Vroeger droomde je ervan om piloot te worden of verpleegster. Als niks je belemmert, wat zou je dan nu willen zijn?

- ○ Schrijver en zanger
- ○ Natuurfotograaf
- ○ Arts
- ○ Pensionado
- ○ Archeoloog
- ○ Technisch directeur bij een drukkerij
- ○ Advocaat
- ○ Docente op de kunstacademie
- ○ Klaar met werken en nu allerlei dingen doen die ik graag wil
- ○ Schaapherder
- ○ Docent HBO
- ○ Verloskundige
- ○ Secretaresse
- ○ Voorzitter Raad van Bestuur grote onderneming
- ○ Freelance boekhouder
- ○ Schilder ergens in Frankrijk
- ○ Binnenhuis architecte
- ○ Museumdirecteur

- ○ Historisch onderzoeker
- ○ Reisleider of gids in een museum
- ○ Medisch secretaresse
- ○ Zangeres en muzikant
- ○ Rijk
- ○ Directeur van een basisschool
- ○ Informatiespecialist
- ○ Werkplekbeheerder
- ○ Piloot
- ○ Gewoon een voedingswetenschapper die normaal haar werk kan doen zonder voortdurend wegbezuinigd te worden
- ○ Gezelschapsdame voor ouderen
- ○ Vastgoedontwikkelaar
- ○ Restaurateur van oude motorfietsen
- ○ Consultant in IT
- ○ Corrector Nederlands
- ○ Piloot

- ○ Maatschappelijk werker
- ○ Fotograaf
- ○ Ecowarrier
- ○ Bed&breakfast eigenaar
- ○ Verloskundige
- ○ Architect
- ○ Diplomaat
- ○ Beheerder van een klooster
- ○ Coach en trainer
- ○ Advocaat
- ○ Antropoloog
- ○ Clown
- ○ Kasteelbeheerder
- ○ Creatief ontwerper op de Efteling
- ○ Piloot
- ○ Klusjesman
- ○ Hoteleigenaar
- ○ Adviseur in een denktank
- ○ Onderwijzeres
- ○ Havenmeester
- ○ Kunstenaar
- ○ Poëet

ENQUÊTE

- ○ Kinderombudsman
- ○ Uitvinder
- ○ Leidinggevende
- ○ Secretaresse/administratief medewerkster/typist
- ○ Maatschappelijk werkster
- ○ Stewardess
- ○ Loopbaancoach
- ○ Zelfstandig ondernemer
- ○ Bibliothecaresse
- ○ Hulpverlener
- ○ Docent
- ○ Promoverend musicoloog
- ○ Beroepsmilitair
- ○ Wat ik nu ben
- ○ Campingeigenaar
- ○ Facilitair manager
- ○ Wandelorganisator
- ○ Spin in 't web / duizendpoot
- ○ Huisarts
- ○ Ouderenadviseur
- ○ Coach in de zon
- ○ Bezigheidtherapeute
- ○ Slijter of whiskyspecialist
- ○ Een nomadenvrouw die iedereen goede raad geeft
- ○ Organisator van een kringloopwinkel
- ○ Vrij kunstenaar
- ○ Bij een bedrijf werken waar je gewaardeerd wordt
- ○ Acteur
- ○ Dierenarts
- ○ Minister
- ○ Uitvaartleider
- ○ Dat wat ik nu doe
- ○ Informatiespecialiste
- ○ Varen als stuurman
- ○ Directeur dienstverlening binnen de zorg
- ○ Pianist
- ○ Social media trainer
- ○ Accountmanager
- ○ Iets bij een archief of bibliotheek
- ○ Beveiliger
- ○ Leerkracht of uitvaartverzorgster
- ○ CEO van een startup
- ○ Regisseur
- ○ Boswachter
- ○ Technisch rechercheur
- ○ Musicus
- ○ Organisatieadviseur
- ○ Bestuurder
- ○ Financieel succesvol psychotherapeut
- ○ Hotelier
- ○ Inspirator
- ○ Eigenaar van een kruidenkwekerij in Zuid-Frankrijk
- ○ Ontwerper van handzame praktische producten
- ○ Bij UN werken voor de rechten van de mens
- ○ Een liefdevolle en krachtige yogacoach in het bedrijfsleven
- ○ Autoverkoper
- ○ Onderwijzeres
- ○ Directeur UWV
- ○ Zangeres
- ○ Stemacteur
- ○ Politicus
- ○ Boerin
- ○ Manager
- ○ Directeur van de Olympische Spelen
- ○ Steve Jobs, levend en zonder zijn attitude
- ○ Adviseur relatie mens-dier
- ○ Creatievere baan in kleding maken
- ○ Psychiater
- ○ Woordvoerder bij een grote overheidsorganisatie
- ○ Timmerman
- ○ Kunstenaar of kweker
- ○ Voetbalcoach
- ○ Een tevreden mens in verbinding met mijzelf en anderen
- ○ Softwarespecialist
- ○ Boer
- ○ Technisch sales consultant
- ○ Iets in de paardenwereld
- ○ Gemeentesecretaris
- ○ Musicalspeler
- ○ Atlete
- ○ DGA van Food bedrijf
- ○ _____
- ○ _____
- ○ _____

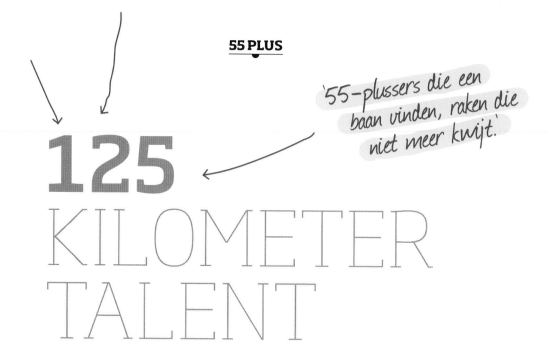

'55-plussers die een baan vinden, raken die niet meer kwijt.'

125 KILOMETER TALENT

Peter Stoks (62), landelijk manager arbeidsmarkt-projecten bij het UWV, vindt dat 55-plussers extra aandacht verdienen. 'Gisteren was je nog heel waardevol, en nu ben je opeens waardeloos? Dat is gek.'

'De werkloosheid onder 55-plussers is heel snel opgelopen. Een jaar geleden waren er 125 duizend werkloos, nu 137 duizend. De prognose is dat de werkloosheid gaat groeien naar 165 duizend. Dat zijn echt heel erg veel mensen, drie keer de Amsterdam Arena vol. Als ze in bussen zouden stappen, en je zet die bussen achter elkaar dan heb je een file van 125 kilometer, van Amsterdam tot Eindhoven. En die file groeit met de dag.

Het is een heel gek fenomeen. Er werken momenteel 1,2 miljoen 55-plussers, en daar is helemaal niks mee aan de hand. Maar als je zonder werk komt te staan, vinden werkgevers je ineens niet meer interessant. Gisteren was je nog heel waardevol, en nu ben je waardeloos.

Dat is gek en verontrustend en onacceptabel. We vragen wel eens in bijeenkomsten aan werkgevers: wie van jullie is er 55-plus? Dan gaan er veel vingers omhoog. En wie van jullie voelt zich minder waard? Dan steekt niemand zijn vinger op. Toch zijn er nog steeds bedrijven die liever geen ouderen aannemen. Terwijl van de 55-plussers die wij aan werk helpen, slechts 2 procent weer terugkomt in onze bakken. 98 procent doet naar tevredenheid zijn werk, en doet zijn uiterste best om zijn baan te behouden. Je hoeft die mensen nauwelijks in te werken en niet bang te zijn dat ze snel vertrekken; het zijn geen job hoppers.

Wij van het UWV hebben geld gekregen om de kansen van 55-plussers op de arbeidsmarkt te vergroten. Want deze groep verdient extra aandacht. We zetten vooral in op de training Succesvol naar werk. Daarin wordt onder andere veel aandacht besteed aan netwerken. Dat is eigenlijk het beste medicijn om zo snel mogelijk weer aan de bak te komen. Brieven schrijven heeft niet zo veel zin. Werkgevers kijken naar je leeftijd, en dan lig je al onderop de stapel. Er worden per jaar twintig miljoen brieven geschreven door 55-plussers. Op twee procent wordt gereageerd. Dan kun je nagaan hoeveel desillusie er is, als je niks hoort, of alweer een afwijzing krijgt. Dat is niet goed voor je zelfvertrouwen.

In de training Succesvol naar werk leer je om social media effectief in te zetten en vacatures te vinden zodra ze ontstaan. Aan uitzendbureaus vragen we of ze zich meer willen inspannen voor deze groep, om actiever 55-plussers aan te bieden aan werkgevers en het gesprek aan te gaan over de voordelen van oudere werknemers.

Vijf keer per jaar organiseren we een inspiratiedag voor 55-plussers. Daar komen duizend werkzoekende 55-plussers naar toe. Daar proef je de ambitie, de passie en de eagerness die ze hebben om weer aan de bak te kunnen komen. Als we er niet in slagen om iets voor hen te doen is dat een grote maatschappelijke verspilling. Er zijn zeker kansen

Top 5

Waar vinden werkzoekende 55-plussers werk? Uitzendbureaus scoren het beste, vooral in de zakelijke dienstverlening. De cijfers zijn vrij oud, van 2011, maar geven toch een indicatie van de sectoren die de meeste werkzoekende 55-plussers werk bieden.

1 Uitzendbureaus 27%
2 Zorg, welzijn, cultuur 14%
3 Handel 9%
4 Industrie 9%
5 Logistiek 8%

op een baan voor deze groep. Momenteel in de gezondheidszorg, het onderwijs, de logistiek en zelfs op bepaalde plekken in de bouw. Meer mogelijkheden zijn er als je niet in banen denkt, maar in klussen. Bijvoorbeeld het opruimen van een archief, het innoveren van een product, het opknappen van een administratie. Dat soort klussen vind je alleen door actief de arbeidsmarkt in de gaten te houden, door desnoods naar een bedrijventerrein te fietsen en overal binnen te lopen. Als je eenmaal een klus krijgt, maak je kans op een vervolg.

De belangrijkste uitdaging voor 55-plussers is om in jezelf te blijven geloven en op een slimme manier om te gaan met de mogelijkheden op de arbeidsmarkt. Daar helpen wij ze graag mee. Vorig jaar hebben we meer dan 20.000 55-plussers aan een baan kunnen helpen. Met het extra geld zal het aantal hopelijk toenemen.' (DS)

'Als ik niks doe, gebeurt er ook niks'

Ik was 21 jaar secretaresse bij ING toen ik de grote sprong waagde. Jarenlang had ik helemaal geen plannen voor mijn carrière. Rond mijn 50ste, toen de kinderen het huis uit waren, dacht ik: wil ik zo tot mijn pensioen door?

Destijds had ik een heel goede leidinggevende die mij aanmoedigde om om me heen te kijken. Wat zou ik nog meer leuk vinden? Er was ook budget voor bij ING. Ik heb toen een cursus masseren gevolgd. Nieuwe dingen leren is leuk! Van mensen om me heen hoorde ik dat ze weer een stralende Ria zagen.

Later heb ik een inspiratieweek gedaan. Een programma vol workshops waarin de juiste vragen werden gesteld. Vragen waarop alleen ik het juiste antwoord kon geven. Wat is voor mij echt belangrijk? Waar haal ik mijn energie vandaan?

In die week ontdekte ik dat als ik niks zou doen, er ook niks zou gebeuren. Ik miste zingeving en verdieping in mijn werk. Enige tijd later wist ik wat ik wilde: kwetsbare ouderen begeleiden, zodat zij zo lang en fijn mogelijk in hun eigen huis kunnen blijven wonen. Mijn vader heeft zijn laatste jaar in een verpleeghuis doorgebracht, en ik had toen gezien: hiér kan ik wat brengen.

Ik ben de post-hbo-opleiding Ouderenadviseur gaan doen. Daar liep ik, op mijn 54ste, met een rugzak door de hogeschool. Ik ging steeds meer stralen. Toen er weer een reorganisatie werd aangekondigd, vond ik het tijd om te zeggen dat ik weg wilde. Mijn man was met pensioen, financieel kon ik het risico nemen. Ik had één dag per week werk als ouderenadviseur en ik kon iemand drie maanden vervangen.

Maar de bezuinigingen sloegen toe, en na een half jaar werd mijn contract niet verlengd. Via het UWV vond ik een tijdelijke baan als secretaresse bij een psychologenpraktijk. Zo'n kleine organisatie waar ik de spin in het web kan zijn past goed bij me.

Werken als ouderenadviseur zit er voorlopig niet in. Maar ik notuleer intussen als vrijwilliger de bestuursvergaderingen van de organisatie waar ik als ouderenadviseur werkte. Zo houd ik contact. En ik heb nog meer dingen bedacht die ik vrijwillig zou kunnen oppakken in het welzijnswerk. Ik hoop dat het op den duur een betaalde baan oplevert.

Spijt heb ik niet dat ik bij ING ben vertrokken. Vooral die opleiding heeft me een enorme boost gegeven. Ik weet nu veel beter wat bij me past, waar ik goed in ben en heel blij van word. Maar ik heb wel makkelijk praten, want ik heb een boterham en een dak boven mijn hoofd.' (DS)

Ria Mouthaan
(57 jaar)

45+
COACH

> *Wees een grote vis in een kleine vijver*

Leni Minderhoud (56) is coach en counsellor voor 45-plussers op weg naar werk of een carrièreswitch. Vier jaar geleden maakte ze zelf een switch, na een carrière in financiële functies bij onder meer Shell en Delta Lloyd.

Wat moeten 45-plussers die een carrièrestap willen maken vooral leren?

'Ze moeten in zijn algemeenheid vooral leren om hun onderscheidend vermogen onder woorden te brengen. Je hebt een goede tekst nodig voor je CV en je LinkedIn-profiel. Wat onderscheidt jou van anderen die vergelijkbaar werk doen? Als je bijvoorbeeld administrateur bent, noem dan zeker die bijzondere software waar jij zo goed in bent.

De grote valkuil is dat mensen zeggen dat ze overal voor open staan. Maar daar word je niet op gevonden. Geen enkel bedrijf zoekt iemand die overal voor open staat. Bedrijven zoeken bijvoorbeeld een managementassistente die voor meerdere mensen wil werken, of die zich thuis voelt in de zorgsector, en die ervaring heeft met communicatie. Dat is wat specifieker dan zoiets als "spin in het web". Je moet je beperken, je moet een grote vis worden in een kleine vijver. Je vindt je onderscheidend vermogen op allerlei manieren. Je kunt het ook aan anderen vragen. Vertel je succesverhalen, daaruit kan een ander destilleren waar precies jij heel goed in bent.'

En dan heb je je onderscheidend vermogen gevonden, wat dan?

'Dan maak je daar een elevator pitch van, en je zorgt dat je boodschap duidelijk in je LinkedIn-profiel te vinden is. Je moet wel opletten dat je er geen egocentrisch verhaal van maakt. Zoiets als: ik kan dit en dat, kom maar op met die baan. Je verhaal moet beginnen bij wat een bedrijf zoekt. Beschrijf wat jij kan betekenen voor een bedrijf. "Als je dit probleem hebt, dan lever ik dit resultaat."

Belangrijk is ook dat je je communicatie richt op de toekomst. Heb het over wat je wil doen, en leg minder nadruk op wat je allemaal hébt gedaan. Dat laatste is je bagage, daar doe je wat levenservaring bij en je passies, en daarvan maak je een goed verhaal.

Op netwerkbijeenkomsten moet je anderen voor je boodschap zien te interesseren. Daar zien veel mensen erg tegenop. Ik zeg: maak het niet te zwaar, netwerken is iets dat je altijd al hebt gedaan, bij de bakker, op het schoolplein. Omdat het nu om een baan gaat, denken mensen dat ze zichzelf moeten verkopen. Dat hoeft niet. Netwerken is het opbouwen van relaties, iets wederkerigs, gericht op een duurzame relatie.'

Veel 45-plussers klagen dat recruiters de waarde van ouderen niet zien.

'Op recruiters heb je geen invloed. Je weet vaak niet hoe ze selecteren. Wel is duidelijk dat veel recruiters een vertekend beeld hebben van ouderen. Dat komt denk ik voor een deel door de riante VUT-regelingen uit het verleden. Ouderen zijn mensen die niet meer meedoen, dat beeld is daardoor ontstaan. Mensen die vlak voor hun VUT zaten waren bij wijze van spreken al een jaar hun bureau aan het opruimen, en namen geen ingewikkelde projecten meer aan.

Als je niet wordt uitgenodigd voor een gesprek, moet je dat dus niet op jezelf betrekken. Kijk of je een recruiter in je netwerk hebt, misschien kan die je adviseren. En als je na de 50ste sollicitatie nog steeds geen afspraak hebt, dan moet je iets anders gaan doen om aan werk te komen.'

Zijn deze lessen niet een typisch geval van achterstallig onderhoud?

'Zeker. Veel mensen hebben veel te lang in een situatie gezeten waarin ze zichzelf niet hoefden te laten zien. Werkgevers hebben vaak niet gestimuleerd dat werknemers investeren in hun inzetbaarheid. En werknemers hebben misschien ook te vaak gezegd: als die cursus niet verplicht is, dan laat ik hem liever aan me voorbij gaan.' (DS)

> **Vraag!**
> 'Hoog opgeleide 45-plussers generen zich er vaak voor om hulp te vragen. Niet doen. Laat je begeleiden, praat met mensen, vraag advies en tips op social media. Durf te vragen, dat is oké.'

Leni Minderhoud werkt in Leiden. Naast face-to-face gesprekken biedt ze methodische coaching aan via e-mail. **www.leniminderhoud.nl**

Binnen op m'n 45ste

O p jonge, onbedorven leeftijd, had ik helder voor ogen hoe mijn loopbaan zou verlopen: ik wilde op mijn 45ste binnen zijn. Gewoon een paar miljoen op de bank, financieel onafhankelijk, zodat ik niet meer hoefde te werken en kon doen waar ik zin in had. Want werk, dat kreeg ik direct en indirect mee uit mijn familie en omgeving, was iets wat je zo veel mogelijk moest zien te voorkomen. En ook tijdens mijn studententijd fluisterden oudere, inmiddels werkende disputgenoten me in, dat de studententijd de mooiste tijd van je leven was. Als je ging werken werd het allemaal minder.

Maar bij mij verliep het een beetje anders. Na een studie beklom ik de carrièreladder bij Randstad, in Nederland en Italië. Tot driemaal toe lukte het me, om binnen deze grote organisatie mijn eigen droombanen te verzinnen en te realiseren. De laatste keer: areamanager van Randstad Rome, met als taak vestigingen te openen in dit nieuwe gebied.

Ik had er lol in! Werken bracht me voldoening, avontuur, persoonlijke groei en plezier!
Dat gevoel wilde ik delen. Ik ontdekte mijn missie om anderen te helpen bij het vinden van plezier in werk, vanuit je talenten. Ik startte op mijn 32ste de onderneming TalentFirst, die inmiddels is uitgegroeid tot 25 collega's met dezelfde missie. We helpen mensen te ontdekken hoe ze met hun unieke persoonlijkheid, waarde kunnen toevoegen aan anderen. En daardoor een geweldig leven kunnen hebben. Samen met mijn collega's en met onze klanten heb ik de tijd van mijn leven.

En ineens ben ik 45. En denk ik terug aan mijn jeugdige ambitie om op mijn 45ste binnen te zijn!
Shock.
Het bedrag op mijn bank heeft wat nullen te weinig. Financieel onafhankelijk ben ik absoluut niet. Werken moet ik nog wel even. Een gevoel van mislukking maakt zich van me meester.
Had ik niet iets heel anders voor mezelf bedacht?
Maar dat gevoel is er maar heel even. Ik realiseer me dat werk mij persoonlijk geluk en voldoening geeft. Ik zou het voor geen goud willen missen. Werk geeft me de mogelijkheid het beste van mezelf te geven, en daarmee voor anderen iets te betekenen. Ik ben blij dat ik nog heel lang mag werken!

Huub van Zwieten directeur
TalentFirst Nederland, 45 jaar

Fotografie: Else Kramer

De banenmarkt lijkt sterk op de huwelijksmarkt. De prins op het witte paard komt niet vanzelf langs, daar moet je iets voor doen. En een nieuwe vlam is snel op je uitgekeken als je nog zit te mokken over je vorige relatie. Neem de tijd voor rouw en verwerking.

Verwerk je verleden

'**W**erk hebben is niet alleen de norm in onze maatschappij, maar wordt bovendien als bron van geluk gezien. Terwijl werk ook kan leiden tot gezondheidsklachten, stress en burn-out en bovendien ontzettend veel tijd en energie vraagt.' Met die constatering zetten Sandra Dirkse en Irene van den Hoeven de weg in naar rouwverwerking in hun opgeruimde boek *(Ont)slagen, of hoe werkloosheid de eerste stap naar succes kan zijn.*

Rouwverwerking moet. Want wie niet rouwt, loopt het risico in verdriet en woede te blijven hangen. Daarmee zit je niet alleen jezelf in de weg, je wordt er ook geen aantrekkelijke sollicitant van. Dirkse en Van den Hoeven schreven in een periode van werkloosheid hun opbeurende boek. Ze nemen je mee langs de emoties die je kunt ervaren: ontkenning, boosheid, verdriet, angst, onzekerheid, schaamte, jaloezie, stress, opluchting, acceptatie.

Ik kan ook
helemaal niks

Ik tel niet
meer mee.

Alsof ik nu ooit nog
aan de bak kom, ik
ben toch veel te oud

Ik voel me
echt hopeloos

Ik ben bang

Ik ben een
nobody

Ik hoop dat
de hele tent
failliet gaat

Gewoon uitgekotst,
weggegumd,
doorgestreept

k ben
anslo

Ik ben
een loser

Wat zeg ik op
een feestje?

k nu
de l
ch ver

zit
na te
achten

Waarom
moest mij dit
overkomen?

Ik pak
ze terug

Ze lachen
me vast uit...

het
eerlijk!

Ik heb zó mijn best
gedaan, dat hebben
ze niet gezien

Ik vind het
zó oneerlijk!

Ik ben woest!

Emoties tijdens het rouwproces:

Ontkenning, boosheid, verdriet, angst, onzekerheid, schaamte, jaloezie, stress, opluchting, acceptatie.

Hebben ze dan geen hart?

Ze mogen doodvallen, allemaal

Ik ben een loser

Ook als je ontslag te wijten is aan een reorganisatie of iets anders waar je geen invloed op hebt, dan nog kun je aan jezelf gaan twijfelen of woedend zijn op de mensen die je hebben ontslagen. Je kunt je een loser voelen, en je moet intussen ook bedenken wat je zegt op feestjes en partijen, waar iedereen altijd weer over werk begint.

Ook jaloezie is een niet te onderschatten emotie in dit geval. De auteurs: 'Denk eens aan mensen die heel vervelende banen hebben. Aan mensen die nauwelijks vrije tijd hebben of aan mensen die door hun drukke banen niet kunnen genieten van andere dingen. Je voelt je er vast beter door.'

Verderop in het boek krijg je tips om te onderzoeken wat je in de toekomst wil. Maar eerst moet het hoofdstuk 'Van slag door ontslag' zijn doorgewerkt. Zorg bijvoorbeeld dat je afscheid neemt op een manier die je prettig vindt.

Ook loopbaancoach Marlies van Venrooij beschrijft verschillende fases van verliesverwerking in *Ontslag, Welke keuze maak jij?* Vechten is daar één van. 'In deze fase wil je je recht halen voor wat je is aangedaan. Je kunt de strijdfase herkennen aan het feit dat je je blijft richten op de organisatie en niet op je eigen toekomst. Kijk dan eens wat je ermee wilt bereiken, of je dit ook kán bereiken en wat het je gaat kosten.' Want wie met advocaten aan de slag gaat, heeft voorlopig geen aandacht voor de toekomst.

Volgens Van Venrooij is het een teken dat je uit je dip krabbelt als je meer op jezelf gericht raakt, en minder op de organisatie waar je weg moest. Maar dat zou helaas wel eens via fase 4 kunnen

gaan: depressie. Je kunt je pas goed op de toekomst richten als je in de acceptatiefase bent beland: Je neemt het je kwelgeesten misschien nog wel kwalijk, maar je ziet in dat vechten geen zin heeft.

In *Banenjacht 45+, aan het werk tot je AOW* beschrijft de journalist Jaap Roelants de huidige situatie op de arbeidsmarkt aan de hand van gesprekken met vier 45-plussers die hun baan zijn kwijtgeraakt. Een redactrice van een kwaliteitskrant die tot haar verbazing niet zomaar elders aan de bak komt, een maatschappelijk werker die een taxibedrijfje begint, een zakenman die bij zijn ouders op zolder moet gaan wonen en een ex-directeur die een wijnwinkeltje begint.

Aansprekende verhalen, die duidelijk maken dat er niet alleen een crisis is, maar dat ook de regels op de arbeidsmarkt aan het veranderen zijn. Er zal bijvoorbeeld steeds minder plaats zijn 'voor mensen die wel hun rechten maar niet hun plichten kennen', aldus Roelants.

Dit boek is op Omroep Max-snelheid geschreven, de auteur heeft vrij veel woorden nodig om zijn punt te maken, maar toch is het leerzame kost voor de oudere werknemer die zich al een tijd niet op de arbeidsmarkt heeft georiënteerd. Voor de rouwverwerker heeft Roelants de volgende tip: 'Idealiseer je verloren baan niet. Vroeger was echt niet alles beter. Sta ook even stil bij de momenten dat je dacht: ik moet hier weg, want ik kan mijn ambities niet waarmaken en die chef is eigenlijk ook maar een kwal.' (DS)

En nu?

'Ik hoor er niet meer bij'

Ontslag en afwijzing maken verdrietig. Bij de instanties die mensen uit de uitkering moeten zien te halen, wordt menige doos Kleenex volgejankt. Hoe kom je uit die dip?

Een spreekkamer in het midden van het land. Systeemplafond, plastic bekertjes, melden bij de balie. We spreken twee hartelijke coaches die vaak door de overheid worden ingeschakeld – liever geen namen – over hoe hun clientèle omgaat met ontslag, en wat de succesfactoren zijn om uit de dip te komen.

'Je zelfvertrouwen gaat eraan. "Ik ben geen onderdeel meer van de maatschappij", zo voelen mensen dat. "Ik hoor er niet meer bij".

Na het ontslag volgen de afwijzingen. Die komen ook hard aan. Sommige mensen weten precies hoeveel ze er hebben. Echt. Gisteren sprak ik een man. 148 afwijzingen. Wist-ie zeker.'

'Woede en verdriet horen bij het rouwproces. Sommigen komen daar niet meer uit. Die blijven boos. Ook op ons. Wij zijn voor hen onderdeel van datgene dat hen wordt aangedaan.'

'Wat wij kunnen doen - zolang er nog geld is voor onze bemoeienis - is aandacht hebben voor hoe het met je gaat. Dan komen vaak de emoties, en is er ruimte om aan de slag te gaan. We helpen zoeken naar: wanneer zat je wél lekker in je vel? Wat kon je toen? Wat vroegen anderen aan je? Het antwoord ligt vaak zo dichtbij dat je het over het hoofd ziet.'

'De kunst is om je kwaliteiten te benoemen, en die in de etalage te zetten. We geven netwerktrainingen waarin je een minuut moet opscheppen over jezelf. Dat durven veel mensen niet.

En als ze denken dat ze schaamteloos hebben lopen overdrijven, zeggen de anderen in de groep: Nee joh, je hebt gewoon gezegd waar je goed in bent.'

'Jezelf in het licht zetten, daar gaat het om. Als je jezelf weer gaat waarderen, en daarvoor niet afhankelijk bent van anderen, dan krijg je weer moed, en dan komt het gevoel dat je zelf aan het stuur zit. Je komt er alleen uit als het je lukt om verantwoordelijkheid te nemen voor je eigen lot.'

'Mensen die erop wachten totdat werkgevers eindelijk begrijpen dat ze ook ouderen moeten aannemen, die hebben het heel moeilijk. Die zitten thuis te verpieteren op de bank. En ze gaan overal bevestiging zien voor hun gedachte dat het toch geen zin heeft om van die bank te komen.'

'Voor veel mensen geldt dat ze wel een ander beroep moeten kiezen. Architecten bijvoorbeeld. Of dat ze na loondienst nu de stap moeten zetten naar zelfstandige. Het kwartje moet vallen dat vaste contracten er nauwelijks meer zijn, en dat deeltijd ook normaal is geworden.'

'Sommige mensen zitten de héle dag achter de com-

Ik vind het zó oneerlijk!

puter. Die hebben een lange lijst met vacaturesites. En dan maar afstrepen: dit kan ik niet, daar kom ik niet voor in aanmerking, dit hoef ik niet te proberen, ze vinden me toch te oud.'

'En dan, na een lange dag van mislukking, komt je partner thuis. Had je nou niet éven de vaat in de machine kunnen zetten? Je hebt de hele dag toch niks te doen!'

'Huwelijken staan onder druk. Er zit zoveel leed achter ontslag. Regelmatig moet ik zelf ook een zakdoekje pakken. Ik heb zelf trouwens ook een tijd op de bank gezeten. En toen vulde ik de vaatwasser ook niet.'

'Soms zeggen we: ik verbied je om deze week te solliciteren. Ga even niks doen. Raar he? Wij moeten ze snel aan het werk krijgen.'

'Ik had een vrouw tegenover me, die zeker wist dat het op haar leeftijd niks meer zou worden. Ik ging erin mee. Nee, dat wordt inderdaad niks, je bent 45! Jou hoeven ze niet. 45, kom zeg! Tuurlijk ben je te oud, wat denk jij nou? Op een gegeven zei ze: Nou weet ik het wel! Toen konden we praten.' (DS)

Slachtofferrol

Een cruciaal begrip in de strijd tegen de dip is de *locus of control*. Iemand met een interne locus of control gelooft dat hij zijn eigen leven bepaalt. Iemand met een externe locus of control gelooft dat zijn leven bepaald wordt door zijn omgeving, het lot, toeval of andere mensen.

Een ernstig geval van externe locus of control heet ook wel slachtoffergedrag. De generatie van 55-plussers is vaak verteld dat de werkgever wel zorgt voor hun carrière. Dat was vaak ook zo, maar de keerzijde is een aangeleerde hulpeloosheid die nu overwonnen moet worden. Er zijn op internet testjes waarin je je locus of control kan bepalen.

Oefening

Oefening uit (Ont)slagen: Schrijf eens op waar je verdrietig om bent, wat je mist – alles wat in je opkomt. Al deze gedachten zullen je later helpen om te bepalen wat jij belangrijk vindt in een baan.

Ik steek de boel in de fik

Ontslagen. Hoe kom je uit je dip?

1 Accepteer dat je boos bent en rouwt. Dat hoort erbij.
2 Richt je op wat je zelf kan beïnvloeden, ga dáár mee aan de slag. Blijf niet steken in wat je van anderen verwacht.
3 Benoem je kwaliteiten, en zet ze in de etalage
4 Je hebt andere mensen nodig die je een spiegel voorhouden. Praat met lotgenoten, wordt bondgenoten.
5 Kijk naar voren. Vergeet je status, je inkomen en de waardering van vroeger.
6 Onderzoek je drijfveren. Wat wil ik nou echt? Je hebt sowieso de leeftijd om die vragen nog eens te stellen. Soms is ontslag het beste dat mensen kon overkomen, omdat ze daarna eindelijk ontdekten wat ze belangrijk vinden.

WHO MOVED MY CHEESE?

Als je jarenlang gewend was dat een werkgever zorgt voor je werk en je inkomen, en ineens is dat afgelopen, dan moet je je aanpassen. Soms lukt dat niet en blijf je steken in oude patronen en strategieën.

Misschien kan 'Who moved my cheese?' helpen. Dit wereldberoemde verhaal van Spencer Johnson gaat over de muizen Sniff en Scurry en de mannetjes Hem and Haw. In de Nederlandse vertaling: Snuffel en Snel en Peins en Pieker. Ze wonen in een doolhof, waar ze elke dag op dezelfde plek vinden wat ze nodig hebben: verse kaas, dat symbool staat voor werk, geld, gezondheid, spiritualiteit, alles wat je belangrijk vindt.

Het leven kabbelt heerlijk voort, tot op een dag de kaas niet meer zo fris is. Even later is er geen kaas meer. De muizen gaan direct op zoek naar nieuwe kaas. De mannen niet. 'Who moved my cheese?', brult Hem. 'It's not fair!'. En Haw kan het gewoon niet geloven.

De mannetjes kijken de volgende dag op de vertrouwde plek. Nog steeds geen kaas! Hem wil tot op de bodem uitzoeken wie hier achter zit. En Haw's gedachten blokkeren. Heel even vragen de mannen zich af waar de muizen zijn gebleven, en overwegen ze om op zoek te gaan naar nieuwe kaas. Maar ze zijn bang om te verdwalen. Dus blijven ze wachten, teleurgesteld en verbitterd.

Pas na lange tijd denkt Haw: die kaas komt nooit meer terug. We moeten wat doen! Maar ze durven niet. Wat als we geen kaas vinden? Dan staan we mooi voor gek! Op een dag denkt Haw: Wat zou ik doen als ik niet bang was? Dat helpt hem om de knoop door te hakken en te gaan zoeken naar nieuwe kaas. En hij realiseert zich dat hij al langer had geroken dat de kaas niet meer fris was. Hij neemt zich voor om voortaan eerder te reageren op veranderingen. En hij begrijpt ineens hoe angst en weerstand tegen verandering hem in hun greep hadden. (DS)

Op Youtube zijn diverse filmpjes te zien die deze fabel vertellen. Het boekje is gratis te downloaden, zoek op 'who moved my cheese pdf'.

WAT HEB JE AAN EEN LOOPBAANCOACH?

Een steun in de rug

Je bent vastgelopen in je werk, dreigt ontslagen te worden of je zit al zonder werk. Wat kan een loopbaancoach voor je doen? En hoe vind je een goede?

In de praktijkruimte van loopbaancoach Marianne Overakker (57), in een statig herenhuis in Hilversum, staat een rond tafeltje. Erbovenop liggen zo'n vijftig kaarten. Op elke kaart staat een kwaliteit. Alleen positieve: zelfverzekerd, kan goed analyseren, tactvol. Overakker: 'Vaak vraag ik mijn cliënten er drie uit te zoeken die bij hen passen en drie die ze willen ontwikkelen in de toekomst. Ik heb nog nooit meegemaakt dat ze geen drie goede kwaliteiten van zichzelf kunnen benoemen.'

Een loopbaancoach, of loopbaanadviseur, helpt mensen met werkgerelateerde problemen bij het zoeken naar passend werk. In Nederland zijn er naar schatting zo'n 15.000. Ze verschillen in achtergrond, werkwijze en doelgroepen. Maar één overeenkomst delen ze allemaal en dat is het samen met de cliënt uitzoeken over welke goede kwaliteiten hij beschikt die hij kan gebruiken in een volgende functie.

Wat een loopbaancoach voor je kan doen hangt af van de aard van de problematiek en het geld dat ervoor be-

Waar droom je van?

Wat zijn jouw sterke kanten?

Wat maakt je boos?

Hoe ziet jouw ideale baan eruit?

Waar ben je trots op?

Wat vind je niet leuk om te doen?

Wat maakt jou uniek?

Wat kun je goed?

Wat zou je doen als geld geen rol speelde?

schikbaar is. Het kan gaan om re-integratie: mensen die al langere tijd werkloos zijn en via het UWV bij een loopbaancoach belanden. Om outplacement: als gevolg van een reorganisatie of niet goed functioneren krijgt de werknemer van zijn werkgever een bedrag om loopbaanbegeleiding in te kopen. Je kunt ook een loopbaancoach inschakelen als je alle inspiratie voor je werk verloren hebt en werk zoekt dat meer voldoening schenkt.

Rondbazuinen

'Een goed loopbaantraject', zegt loopbaancoach Ellen Weustink (48) uit Rotterdam, 'bestaat voor mij uit drie fasen. Eerst maak ik met de cliënt een per-

> 'Ik zeg: zoek tien bedrijven waar je zou willen werken en zorg dat je er geïntroduceerd wordt.'

soonlijk profiel: in welke situatie zit hij, wat wil hij, wat kan hij. Dat mensen alleen maar geschikt zijn voor het werk wat ze altijd gedaan hebben is onzin. We kijken heel breed, ook naar wat ze in hun vrije tijd graag doen en goed kunnen of waaraan ze vroeger veel plezier beleefden. Soms laat ik cliënten een 360 graden feedback maken, dan vragen ze aan anderen hun goede eigenschappen te benoemen. Uitgaande van die kwaliteiten kijken we wat voor soort werk daarbij past. Daarvoor laat ik cliënten praten met mensen die dat werk al doen. Want bij mij aan tafel kom je daar niet achter. Vervolgens proberen we dat werk ook te krijgen. Dat is het meest arbeidsintensieve van het traject. Want zeker de groep van 45-plussers redt het niet met alleen een sollicitatiebrief en een cv, hoe schitterend die ook zijn. Ze moeten gaan netwerken. Ze moeten overal rondbazuinen wat ze kunnen en voor welk probleem zij een oplossing zijn. Ze moeten in contact zien te komen met invloedrijke mensen van bedrijven waar ze zouden willen werken, en liefst voordat er een vacature is. Dat netwerken is echt een dagtaak.'

Ook Overakker benadrukt het belang van netwerken. 'Mensen zijn nog wel eens geneigd om achter hun computer te blijven zitten en zo te zoeken naar vacatures. Maar ik stuur ze op pad. Ik zeg: zoek tien bedrijven waar je zou willen werken en zorg dat je er geïntroduceerd wordt. Misschien kent je buurman iemand die daar werkt.' Soms kunnen cliënten daarvoor gebruik maken van haar eigen netwerk. Beide coaches zeggen over een groot netwerk te be-

Waar zou je graag willen werken?

Wa je w we

Wat was je beste project?

Wat waarderen anderen in jou?

Wa rho je

schikken en veel mensen te kennen die in allerlei sectoren werken. Bij dat netwerken bieden de coaches ondersteuning. Door klankbord te zijn, mensen gespreksvaardigheden bij te brengen, sollicitatiegesprekken voor te bereiden, mensen leren zichzelf te verkopen, ze te leren hun goede kwaliteiten te benadrukken, zelfvertrouwen geven.

Natuur

Bij de vraag of ze daarin slagen rollen de voorbeelden over tafel. Zo vertelt Overakker over een 48-jarige vrouw die was ontslagen als bestuurssecretaris. 'Ze wilde niet terug naar een dergelijke functie. Al pratend over activiteiten die ze graag deed sprongen er drie dingen

uit: natuur, les geven en kinderen. In haar cv ontbraken daarvoor de nodige kwalificaties. Maar ze had me wel verteld dat ze vrijwilligster was bij Natuurmonumenten, een volkstuin had, in de padvinderij veel met kinderen had gewerkt en regelmatig op kinderen paste. Op een gegeven ogenblik was er een vacature voor een docent voor kinderen in de schooltuinen van Amsterdam. Ze solliciteerde. Omdat ze officieel aan geen enkele kwalificatie-eis voldeed werd ze afgewezen. Toen ging ze er als vrijwilligster werken. Op een keer was er een docent ziek en nam zij zijn lessen waar. Ze bleek het heel goed te kunnen en de volgende vrijkomende baan was voor haar.'

Hoe vind je een coach en wat kost het?

Hoe vind je een goede loopbaancoach? Iedereen kan zich immers loopbaancoach noemen. Een echte beroepsopleiding na de middelbare school bestaat daarvoor niet. Wel is er een wildgroei aan cursussen en trainingen ontstaan, waarvan de kwaliteit niet altijd vaststaat. We vroegen het aan Erik den Draak. Tot 2005 werkte hij als loopbaanadviseur en sinds 1997 beheert hij de informatieve website loopbaanadvies. net. Hij heeft veel gepubliceerd over het thema, waaronder een boekje met tips voor het vinden van een goede loopbaanadviseur. 'Een goede loopbaanadviseur vinden is ingewikkeld', zegt hij. 'Je kunt natuurlijk op internet zoeken, maar iemand met een mooie website hoeft geen goede loopbaanadviseur te zijn.' Het makkelijkste is, zegt hij, als mensen je op een loop-

baancoach wijzen, met wie zij goede ervaringen hebben. Maar dergelijke mensen ken je niet altijd. Dan toch maar googelen. Let dan op relevante opleiding en ervaring. Daarnaast zegt een lidmaatschap van een beroepsvereniging veel. De Noloc is de enige beroepsvereniging specifiek voor loopbaancoaches. De Nobco is er voor allerlei coaches. Leden moeten aan kwaliteitseisen voldoen. Beide verenigingen kennen een gedragscode en klachtreglement. Op de websites van de verenigingen staan alle leden gemeld, met hun specialiteit, leeftijd en ervaringsniveau. Probleem is wel dat maar weinig loopbaancoaches lid zijn van een beroepsverenging. Zo telt de Noloc slechts 2.500 leden. En iemand kan zonder zo'n lidmaatschap natuurlijk ook goed zijn. Je kunt ook kijken of coaches een CMI-certificatie hebben. Het Career Management Instituut is een certificerende instantie die hoge eisen stelt aan loopbaancoaches. Veel coaches bieden, tot slot, een gratis kennismakingsgesprek aan. Dan merk je of er een 'klik' is, en dat is toch het belangrijkste uitgangspunt. Waar je niet zo naar hoeft te

kijken, is of de loopbaancoach expliciet kennis heeft van jouw beroep. Den Draak: 'Natuurlijk moet een loopbaanadviseur weten dat een vrachtwagenchauffeur lange dagen maakt en een wetenschapper onder publicatiedruk staat, maar dat is meer algemene kennis. Wel moet hij verstand hebben van de arbeidsmarkt. Als iemand werk zoekt is het niet handig hem te adviseren een bed&breakfast in Frankrijk te beginnen.' Ook de omvang van het coachingsbureau zegt weinig over kwaliteit. Wel over de prijs. Volgens Den Draak ben je bij grotere bureaus vaak duurder uit, omdat ze meer overheadkosten moeten maken.

Op de websites van de verenigingen staat ook vaak welke tarieven de coaches hanteren. Die lopen enorm uiteen: van 80 tot 300 euro per consult. Alle drie de loopbaancoaches zeggen echter voor particuliere cliënten variabele prijzen te rekenen. Overakker: 'Ik houd rekening met wat een cliënt kan betalen. Daar komen we meestal wel uit.'

Of de 61-jarige kwaliteitsfunctionaris in de bouw die zijn oude werk niet meer kon uitoefenen. Bij Overakker kwam hij er achter wat hem nou echt plezier gaf in zijn werk: het contact met andere mensen. 'Hij vond een baan als chauffeur voor groepsvervoer van ouderen, kinderen en gehandicapten. Hij verdiende er wel minder mee, maar dat nam hij voor lief.'

Soms ontdekken cliënten gedurende de coaching dat ze juist wel op hun plek zitten. Weustink geeft een voorbeeld van een overspannen baliemedewerkster die klachten afhandelde bij een groot warenhuis. 'Zij vond haar werk zinloos. Ze wilde van meer betekenis zijn voor mensen. We keken naar functies als receptioniste in een verzorgingshuis. Maar dan zou ze minder verdienen en langer moeten reizen. Gaandeweg het traject kwam ze erachter dat ze in haar huidige werk vooral collegialiteit en waardering miste. Door op een andere manier naar haar werk te kijken en de omgang met collega's te veranderen kon ze toch weer voldoening halen uit haar oude werk.'

Plezier

Re-integratietrajecten van het UWV mogen een jaar duren, outplacementtrajecten beslaan ook al gauw negen tot twaalf maanden. Loopbaancoach Ine Bimbergen (47) uit Utrecht profileert zich op haar website met veel kortere trajecten: maximaal zes sessies van twee uur. Zij richt zich vooral op hoog opgeleide mensen. De Universiteit Utrecht is

voor wat het coachen betreft – ze geeft ook trainingen – een belangrijke opdrachtgever. 'Mijn cliënten zijn meestal nog in dienst, ze worstelen met problemen als werkdruk, leiding geven, verlies van inspiratie of de balans tussen werk en privé. Ik probeer hun blokkades weg te halen en ze bewust te maken van hun valkuilen en niet-functionele handelen. Ik laat ze inzien wat hun drijfveren zijn, wat ze belangrijk vinden in het leven, hoe ze met emoties omgaan.' Daarvoor past Bimbergen elementen uit allerlei psychologische methodieken toe. Van Rationele Effectiviteit, mindfulness, Voice Dialogue tot Neurolinguïstisch Programmeren. 'Mijn doel is cliënten in beweging te brengen zodat ze zelf in staat zijn op een andere, functionelere manier met hun werk om te gaan. Dat kan heel goed in zes sessies. Ik geef ze handvatten, zet ze op de rit, maar ze moeten het zelf doen. Ik zie mezelf als een voetbalcoach: ik geef aanwijzingen vanaf de zijlijn, maar ik doe zelf niet mee.'

Hoewel Bimbergen het resultaat van haar coaching niet exact bijhoudt, blijkt uit de evaluaties dat de meeste cliënten na afloop met meer plezier naar hun werk gaan. 'Of ze hebben voldoende bagage meegekregen om hun leven anders vorm te geven.' Ook Overakker en Weustink zeggen dat hun begeleiding succesvol is. Beiden coachen nogal wat cliënten van het UWV. Die eist een rendement van 70 procent, dat wil zeggen dat de cliënt een baan heeft gevonden van minstens een half jaar of een half jaar voldoende uren heeft gemaakt in een eigen bedrijf. Hun beider percentages liggen daar ruim boven. (MVR)

OPDRACHT #1
GA NETWERKEN

Wat is er aan de hand met 45-plussers en waar liggen hun kansen? Ruim tachtig loopbaan-coaches vulden de enquête van Je tweede carrière in. Netwerken is het allerbelangrijkst.

Veel 45-plussers lopen vast in hun werk omdat ze er geen voldoening meer uit halen. Wat zijn volgens u de belangrijkste oorzaken daarvan?

1 Ze vinden andere zaken belangrijk dan toen ze 25 waren, maar doen nog hetzelfde werk
2 Ze missen waardering
3 Ze ervaren te weinig autonomie

Deskundigen zoals Ton Wilthagen zeggen dat het concept 'vaste baan' zijn langste tijd heeft gehad. We zijn op weg naar een 'netwerkeconomie'. Je moet kunnen formuleren wat je te bieden hebt, en kunnen samenwerken in wisselende netwerken. Gaat het die kant op?
Bijna 60 procent zegt

'zeker weten' en nog eens 30 procent zegt 'misschien'. Loopbaancoaches denken dat de arbeidsmarkt drastisch aan het veranderen is. 'We zijn momenteel echt in verwarring, maar gaan weer op zoek naar nieuwe stabiliteit', schrijft een coach. Enkele coaches verwachten dat de vaste baan blijft bestaan, maar dat flexibele arbeid een veel groter aandeel krijgt, vooral voor hoger opgeleiden.

Aan welke punten moeten 45-plussers volgens u vooral werken?

1 Netwerkvaardigheden
2 Social media hanteren
3 Formuleren van de eigen specifieke kwaliteiten

4 Regie in eigen hand nemen, minder van anderen verwachten

Een coach: 'In deze fase is loopbaan coaching meteen ook levensloopcoaching. Werk in het bredere perspectief plaatsen van je leven leidt tot een heldere kijk op wat je met werk beoogt. Werk hoeft en kan immers niet alle behoeften bevredigen. Als die stap gezet is kan pas gericht gekeken worden naar welke kwaliteiten benodigd, aanwezig of ontwikkelbaar zijn.'

Welke lichtpuntjes ziet u?
Een coach: 'De crisis gaat voorbij. 45-plussers hebben ervaring. Als ze hun talent hebben ontdekt zijn er volop kansen. Je moet langer zoeken dan een tijd geleden, maar er is zeker vraag naar senioriteit en betrouwbaarheid. Nu is het ideale moment om op een rijtje te zetten wat je wil behouden en wat je wil veranderen in je leven.'

De complete uitslag van de loopbaancoachenquête vind je op www.jetweedecarriere.nl

Loopbaancoach, wat is je belangrijkste
tip aan 45-plussers?

Netwerken **Leer leven in het nu**
Onderzoek absoluut de mogelijkheid om als zzp-er
iets op te zetten, alleen of met lotgenoten
Durf te dromen **Ga niet in het 'ja-maar-
wie-zit-er-op-mij-te-wachten verhaal
zitten.** Geef niet op Onderzoek je drijfveren,
neem de tijd, en maak dan een keuze **LinkedIn**
Besef dat het leven en werken één grote
leerschool is **Nieuwsgierig Een krachtige
elevator pitch** Stap uit je comfortzone! Geduld
Oprecht & authentiek Neem vooral het
heft in eigen handen **Klankbord** Laat het
concept 'vaste baan' los, en ook het begrip
'passende arbeid', dat is van de vorige eeuw
Geloof in jezelf en in je eigen kracht Het 'ik' is
de laatste tijd in Nederland hinderlijk uitvergroot.
Dat is te merken tijdens netwerk- en
sollicitatiegesprekken. Stel de ander centraal! **Zoek
een loopbaancoach** Vrijwilligerswerk
Somberen kan altijd nog!

Hoe kies je een loopbaanadviseur?

Of je van baan wilt veranderen, boventallig of werkloos bent of gewoon je carrière voor de komende jaren wilt uitstippelen, je zit altijd met meer vragen dan antwoorden. Met die vragen kun je zelf aan de slag gaan. Maar veel mensen vinden het lastig om in hun eentje objectief naar zichzelf te kijken en dan verregaande besluiten te nemen. Heb je wel aan alles gedacht? Heb je voldoende inzicht in de arbeidsmarkt? Wat zijn je zwakke plekken? Hoe goed is je netwerk eigenlijk?

Onze ervaring is dat een loopbaanadviseur meerwaarde heeft. Dat zit hem in reflectie, het spiegelen van je gedrag en in het verbreden van je perspectief. Veel mensen kiezen er daarom ook voor om een loopbaanadviseur in te schakelen.

Een goed loopbaantraject is een investering in de toekomst: het gaat niet alleen over nu, maar het is meestal een herbezinning op je carrière en het zorgt voor blijvende inzichten en nieuw opgedane vaardigheden. Want voor je het weet sta je namelijk weer voor een vergelijkbare keuze. Immers, baanzekerheid is ingewisseld voor werkzekerheid. De baan die je nu verovert bestond vijf jaar geleden niet en kan binnenkort weer eindig zijn. Het is zaak om te zorgen dat je duurzaam aantrekkelijk en inzetbaar bent.

Zorg dat je een loopbaanadviseur kiest die bij je past. Maak met meerdere loopbaanadviseurs kennis voordat je er eentje kiest. Een kennismakingsgesprek is gratis. Heeft je werkgever een bureau voor je uitgekozen? Dan nog is het jouw traject en is de klik met je loopbaanprofessional essentieel voor resultaat, plezier en succes. Geef gerust aan dat je nog een ander bureau wilt zien voordat je besluit.

Ga ook na of een loopbaanadviseur zijn kwaliteit waarborgt, aangesloten is bij een branchevereniging of - beter nog - zich heeft laten toetsen en erkennen als loopbaanprofessional door Noloc. Dat vind je meestal op de website.

Ester Leibbrand en **Yvonne Truijens**
Loopbaanprofessionals bij Sam&
Loopbaanmanagement, www.samen.nu

10 punten om op te letten

1 Biedt de loopbaan-adviseur een individueel traject op maat?

2 Is er frequent face-to-face contact?

3 Hanteert de loopbaan-adviseur heldere doelen en afspraken? Wat levert het je op?

4 Is het traject kort genoeg om gemotiveerd te blijven?

5 Werkt de loopbaan-professional praktisch, nuchter of meer spiritueel en holistisch getint? Wat spreekt je aan?

6 Zoek je snel ander werk en wil je hulp bij jobmarke-ting, je cv en de inzet van social media? Of wil je je oriënteren op een drasti-sche verandering van koers?

7 Heb je behoefte aan het oefenen van gespreks- en netwerkvaardigheden?

8 Kan de loopbaanadvi-seur je zelf aan een baan helpen? Heeft de loopbaan-adviseur een eigen net-werk en is deze bereid dat met jou te delen?

9 Heeft de loopbaan-professional ervaring in de branche van jouw keuze?

10 Voel je een klik? Wat zegt je onderbuik?

Fotografie: Angelina Carol

'Ik heb geen moeite met afwijzingen'

Ik ben in de jaren zeventig begonnen in een baan als pr/massacommunicatiemedewerker. Daarna ben ik de commerciële kant uitgegaan en werkte ik tientallen jaren in de IT-sector in de verkoop, marketing en communicatie. In de afgelopen zeven jaar veranderde ik een paar keer van baan, omdat mijn contract niet werd verlengd, maar ik vond altijd weer binnen een paar maanden een nieuwe baan. De laatste keer was in 2011. Midden in de crisis en ik was 61.

Een paar maanden geleden is mijn contract bij de laatste werkgever wegens economische redenen niet verlengd. Ik ben nu weer op zoek naar een nieuwe baan. Dat doe ik op dezelfde wijze als dat ik software verkocht. Toen moest ik zoveel mogelijk software aan zoveel mogelijk mensen verkopen. Nu moet ik mezelf verkopen, en heb ik aan één klant genoeg.

Ik besta natuurlijk uit meerdere "producten". Leeftijd is ook een product van mij en hoeft daarom geen rol te spelen. Ik zoek banen waarin mijn leeftijd een meerwaarde is. Doordat ik rust kan brengen in een - jonge - organisatie, of een coachende rol kan hebben.
Mijn vrouw werkt niet en sinds mijn twee kinderen de deur uit zijn, heb ik wel lagere kosten. Maar als ik niet werk, is het geen vetpot. Bovendien zou ik

per 2015 maar een half pensioen krijgen als ik nu niet ga werken. Los daarvan: als het echt moet kan ik het tot mijn pensioen uitzingen. Maar daar heb ik geen zin in. Ik vind werken leuk. In een prettige baan wil ik wel door tot mijn tachtigste, als dat fysiek kan natuurlijk. Een neef van mijn schoonvader is nu 85 en werkt nog steeds met veel plezier als makelaar. Mooi toch?

Natuurlijk heb ik al wat afwijzingen gehad, maar dan zag ik zelf ook aan de criteria dat het niet helemaal matchte. Mijn vrouw ligt daar wakker van. Ik niet. Ik heb er alle vertrouwen in. Wat dat betreft ben ik besmet met mijn verleden als verkoper. In zo'n baan ben je gewend om vaak nee te incasseren. Ik heb geen moeite met afwijzingen. Ik heb mijn hele loopbaan lang al moeten "solliciteren". Ik ga er vanuit dat ik voor tien dichte deuren sta en dat de elfde wellicht open gaat. En dat ik honderd keer een werkgever met interesse moet hebben gezien voordat er eentje zegt: "Ik wil jou wel". Maar het zal zeker lukken.' (HK)

(Wim Vlekken heeft intussen een baan gevonden als senior consultant)

Fotografie: Puurportret.nl

Wim Vlekken
(63 jaar)

'Werk zoeken is keihard werken'

Banenjacht met
Aaltje Vincent

Ze is de belangrijkste loopbaan-professional van Nederland. Aaltje Vincent (53) heeft een geheel eigen visie op het vinden van werk ontwikkeld. 'Zelfs op een dorre arbeidsmarkt kun je jouw groene gras ontdekken.'

Er is meer werk dan er banen zijn.' Aaltje Vincent, jobmarketeer, wil maar even aangeven dat werkzoekenden niet te veel gefixeerd moeten zijn op 'die mooie vaste baan'. Want die komt nooit. De arbeidsmarkt is drastisch veranderd, zegt ze. In 2012 kreeg nog maar 2 procent van de mensen een vast contract, het overgrote deel is tijdelijk werk, al dan niet via uitzendbureaus en detacheerders. Verder is veel werk, vooral administratief, óf geautomatiseerd óf verdwenen naar lagelonenlanden.

Als werknemer ben je er om het probleem van de werkgever op te lossen. Niet andersom!

Vincent: 'Maar er ís wel werk. Alleen vaak niet in de oude vorm van een vaste baan met alle zekerheden. Echter wel op projectbasis, via een contract voor bepaalde tijd of op een andere tijdelijke overeenkomst. Kun je drie maanden aan de slag via het uitzendbureau? Acuut doen. Het kan de opstap zijn naar meer. Doe vrijwilligerswerk als je nog niets anders hebt. Alles aanpakken is mijn parool.'

Dat klinkt eenvoudig, maar dat is het niet, beaamt Vincent. Verre van dat. Werkloos zijn is een ingrijpende ervaring die kan verlammen. Tot passiviteit in plaats van activiteit leidt. De WW-uitkering lijkt wellicht van lange duur, maar de tijd vliegt. Vincent: 'Werk zoeken is keihard werken; het is een dagtaak. Het is een proces van jezelf opnieuw uitvinden. Want als je ergens 22 jaar hebt gewerkt, zul je het hoe dan ook over een andere boeg moeten gooien. Als een gek gaan solliciteren heeft geen zin. Je moet eerst onderzoeken wat je wilt en wat je mogelijkheden zijn. Als je niet weet wat je wilt, vind je het ook niet.'

Aaltje Vincent noemt dat het groene gras vinden: Ideeën, wensen en dromen ten aanzien van werk onderzoeken. Ook al lijken ambities niet realistisch, onderzoek ze, zegt de expert. Anders blijven ze maar in je hoofd zitten. 'Door alle opties te onderzoeken, kom je steeds dichter bij de richting die je uit wilt. Neem er de tijd voor. Je bent zo drie maanden verder.'

In een van haar belangrijkste boeken, Jobmarketing 2.0, beschrijft de loopbaanprofessional bondig en stap voor stap hoe werkzoekenden het heft in eigen handen kunnen nemen bij het vinden van een baan. Social media zoals LinkedIn, Twitter en Facebook zijn daarbij onmisbare instrumenten. Eerst het groene gras creëren. En vervolgens kan een persoonlijk arbeidsmarktplan tot stand komen. Sluit je daartoe aan bij de juiste netwerken en discussiegroepen op bijvoorbeeld LinkedIn en onderzoek welke vacatures bij het bedrijf zijn waar je zou willen werken. Volg op Twitter de bedrijven (de zogeheten targetlijst) en degenen wier baan je zou willen hebben. Ga naar congressen of conferenties. Schroom niet en vraag een netwerkgesprek aan bij de organisatie of instelling waar je

Tips van Aaltje Vincent

Tip 1 Vind jezelf opnieuw uit. Onderzoek wat je wilt. Richt je op één type baan.

Tip 2 Zorg voor een uitgebreid profiel en netwerk op LinkedIn. Wees zichtbaar.

Tip 3 Ga naar de mensen op zoek die nu het werk doen dat jij wilt doen. Doe eerst deskresearch (internet, targetlijst, bedrijven bellen, vragen hoe ze mensen werven) en dan fieldresearch (de deur uit).

Tip 4 Straal uit dat je goed bent. Wees overtuigd van jezelf.

Tip 5 Zorg dat je een cv hebt waarin je vakmanschap goed tot zijn recht komt. Vraag (oud)collega's en vrienden naar mogelijk blinde vlekken in je vakmanschap.

Tip 6 Doe het niet alleen. Sluit je aan bij netwerken en zoek een werk-vindt-maatje.

Tip 7 Kijk ook bij mkb-bedrijven (60 procent van het aantal banen), die groeien als eerste.

Tip 8 Volg Aaltje Vincent op Twitter **@Aaltjevincent**

Werk vinden met social media

Social media zijn onmisbaar bij het vinden van een nieuwe baan. En aan wie daar de weg nog niet in weet, biedt loopbaanprofessional Aaltje Vincent redding. Stap voor stap beschrijft ze in haar boek 'Werk vinden met social media' de route naar vinden en gevonden worden. Want dat is het voordeel van social media – het is tweerichtingsverkeer. Recruiters vertellen in het boek hoe ze door middel van via-via recruitment, LinkedIn, Twitter, Facebook en Hyves speuren naar potentiële sollicitanten. En hoe belangrijk het dus is dat werkzoekenden zich zichtbaar maken en gevonden kunnen worden. Hoe doe je dat, als je van de sollicitatiebriefgeneratie bent?

Helder vertelt Vincent hoe je een profiel maakt op de netwerksite LinkedIn, hoe je je aansluit bij en in gesprek komt met voor jou belangrijke groepen en hoe je slimme connecties maakt met vakcollega's, netwerken van werknemers of recruiters in de sector of het bedrijf waar je wilt werken. Een 100 procent-profiel (cv van A tot Z) is cruciaal, benadrukt Vincent. Dat bevat namelijk alle trefwoorden die het mogelijk maken gevonden te worden. En vergeet vooral niet je telefoonnummer of e-mailadres te vermelden.

Twitter, Facebook en Hyves zijn andere belangrij-

Werk vinden met social media
Aaltje Vincent
uitgeverij Spectrum
ISBN 9789000325429
€ 15,99
Van Aaltje Vincent verschenen bij uitgeverij Spectrum ook **Jobmarketing 2.0** *en* **Solliciteren via LinkedIn**

ke netwerken om snel te weten waar vacatures zijn of komen. Als je wacht tot ze in de krant of op wervingssites staan, ben je feitelijk te laat. Twitter is een laagdrempelig, supersnel, informeel medium. Je kunt direct contact leggen met bedrijven, vakgenoten en recruiters. Door ze te 'volgen' en vragen te stellen, weet je wat er speelt. Bovendien worden vacatures meestal meteen doorgeplaatst naar Twitter. Ook twitteren werknemers over banen die vrijkomen. Door de juiste mensen en organisaties te volgen, houdt Twitter je up to date. Een goed profiel, congruent aan je 'bio's' op andere social media, is belangrijk. Hoe je dat doet, staat stapsgewijs beschreven.

Tenslotte besteedt Vincent aandacht aan solliciteren via Facebook en Hyves. Ook deze social media gebruiken recruiters intensief om mensen te werven. En omgekeerd zijn Facebook en Hyves handig om vacatures te vinden. De meeste werkgevers hebben immers een bedrijfspagina.

aan het werk zou willen, adviseert Vincent.

'In het algemeen wordt het gewaardeerd als je initiatief neemt. Mensen hebben vaak ten onrechte het gevoel dat ze met zichzelf lopen te leuren. Zo dicht mogelijk bij het vuur zitten maakt dat je eerder op de hoogte bent van vacatures. Gemiddeld zingt een vacature zo'n drie weken via-via en op social media rond voordat hij via een vacaturesite of krant de wereld in gaat. Als je dan pas een brief stuurt, loop je achter de feiten aan en ben je een van de vele, vele briefschrijvers.'

De aloude sollicitatiemethode is niet meer. Slechts een klein percentage van de vacaturevervulling loopt nog via een advertentie in de krant of in het vakblad met het verzoek binnen een bepaalde termijn te reageren. De meeste banen worden via netwerken, via-via en op social media bekend. En dat kan problematisch zijn voor sommige 45-plussers, weet Vincent. 'Die generatie is niet opgegroeid met deze instrumenten. Bovendien hebben veel mensen een achterstand, omdat ze nooit aan scholing hebben gedaan tijdens hun loopbaan. Ze dachten dat ze goed zaten. Nu dreigen ze tussen wal en schip te raken. Het kost veel energie en veerkracht om na ontslag de regie te nemen en er tegenaan te gaan. Maar als je niet in beweging komt, gebeurt er niets.'

Een tweede hobbel voor 45-plussers die op zoek moeten naar een nieuwe baan is volgens Vincent het gegeven dat de arbeidsmarkt en de eisen die werkgevers stellen sinds de crisis drastisch zijn veranderd. 'Er lopen voldoende mensen rond die voldoen aan de gevraagde kwalificaties. Daar kun je je als sollicitant tussen zeshonderd anderen dus moeilijk op profileren. Potentiële werknemers moeten fris, monter en fruitig zijn. Een persoonlijkheid hebben en het visitekaartje van de werkgever zijn. Als werknemer ben je er om het probleem van de werkgever op te lossen. Niet andersom! Je moet overtuigend de visie van het bedrijf kunnen ondersteunen en uitdragen. Anders heb je er niks te zoeken. Het weegt tegenwoordig voor bedrijven en instellingen heel zwaar om als organisatie te overleven. Daar is een netwerk van geïnspireerde, verantwoordelijke en loyale ambassadeurs voor nodig - die allen dezelfde kant op willen. Mensen die overtuigd zijn van zichzelf en dat in een sollicitatiegesprek kunnen uitdragen.'

We zijn best verwend geraakt, stelt Aaltje Vincent. De werkloosheidspercentages waren lange tijd acceptabel. Een nieuwe baan bood meestal uitzicht op een contract voor onbepaalde tijd. Die tijden zijn voorbij. Vincent: 'Een werkgever zit niet meer op jou te wachten met een leaseauto. Je moet nu heel veel doen om aan het werk te komen. Een omscholing, een mogelijke verhuizing of doordeweeks 'op kamers' en met minder salaris genoegen nemen, zijn onderdeel van een noodzakelijke mentaliteitsverandering. Gemiddeld woont de Nederlandse werknemer nu 13,7 kilometer van zijn werk. Los van de problemen op de huizenmarkt, is ver-

De gedrevenheid van Vincent ligt bij het helpen van werkzoekenden die twintig of dertig jaar niet meer hebben gesolliciteerd.

huizen voor een nieuwe baan voor veel mensen nog een brug te ver.'

Aaltje Vincent is een optimistisch en energiek mens. Loopbaanprofessional is ze niet zo maar geworden. Haar bloeiende bedrijf is de vrucht van jarenlang vasthouden aan haar groene gras. Ze weet waarover ze het heeft als ze grote groepen werknemers in het kader van hun outplacement toespreekt, presentaties houdt, trainingen geeft, bedrijven adviseert en mensen bijstaat. In het arbeidersgezin waar ze opgroeide was ze de eerst die ging studeren. Het heeft gemaakt dat ik geen hokjesmens ben, zegt ze. Na haar studie Heao Communicatie ging ze aan het werk bij een AC Restaurant. Het waren immers de jaren tachtig – de werkloosheid was hoog. Later werd ze assistent-verkoopleider bij Etos, werkte ze in haar 'droombaan' als onderzoeker bij Van Nelle. Bij een reorganisatie werd ze ontslagen. Ze leerde netwerken en ging aan de slag in het loopbaanadvies.

'Ook ik heb me opnieuw moeten uitvinden. Op mijn 40ste moest ik mijn werkzaamheden aanpassen aan mijn een-ouderschap met mijn eenjarige zoon. Ik dacht slim te zijn en als zij-instromer als leraar economie aan de slag te gaan. Maar ik werkte in een keurslijf en onder mijn niveau. Daarna is het gelukt de draad weer op te pakken en mijn passie voor loopbaanadvies en jobmarketing geleidelijk uit te bouwen tot wat het nu is.'

De gedrevenheid van Vincent ligt bij het helpen van werkzoekenden die twintig of dertig jaar niet meer hebben gesolliciteerd. Ze vindt het mooi hen op weg te helpen in de jungle van de arbeidsmarkt. Vincent: 'Het is zo belangrijk dat je het zelf doet en het pad naar een nieuwe baan van A tot Z zelf aflegt. Anderen kunnen het niet voor je doen. En dat is maar goed ook, want je zult nog veel vaker moeten solliciteren.' (PH)

Noloc

Vereniging voor loopbaan professionals

"*Als je een schip wil bouwen, roep dan geen mannen bij elkaar om hout te verzamelen, het werk te verdelen en orders te geven. In plaats daarvan, leer ze verlangen naar de enorme eindeloze zee.*"

Antoine de Saint-Exupéry

www.noloc.nl

seconden per cv

Achmea krijgt in één jaar duizenden reacties op zo'n driehonderd vacatures. Logisch, de werkgever prijkt hoog op de beste-werkgever-van-het-jaarlijstjes. Wat doet de recruiter met die berg? Recruiter Jasper de Weerdt (38) vertelt.

1 'Mensen die een lucky shot proberen of die uit wanhoop lukraak op alles reageren haal je er zo uit.'

2 Achmea maakt vacatures bekend via werkenbijachmea.nl, jobboards, LinkedIn, Twitter en Facebook. 'Ik lees en beoordeel de cv's en brieven. Kwalificaties blijven een hard criterium. En we kijken wat mensen verder kunnen bijdragen. Let wel: bij zulke grote aantallen reacties is het een kwestie van scannen, en doet een recruiter ongeveer 6 tot 12 seconden over een cv.'

3 Extra aandacht krijgen kandidaten die via werknemers binnenkomen. 'Uit onderzoek blijkt dat een sollicitant die via een werknemer binnenkomt, het langst blijft.'

4 Een brief met motivatie dient vooral om bij twijfel te overtuigen.

5 Het management voert vervolgens de gesprekken, die zijn doorslaggevend.

6 Moet je bellen na een afwijzing? 'Die feedback is goed, hoewel sollicitanten ook niet elke afwijzing op zichzelf moeten betrekken. Soms heb je gewoon pech. Het is in deze tijd gewoon moeilijker.' (PH)

Dus:
→ Zorg dat je kwalificaties (meest relevante opleiding, huidige en recente functies en bedrijven) in zes seconden gezien zijn op je cv.
→ Probeer via een werknemer binnen te komen.

Hoe employable ben ik?

Er zijn allerlei testjes die je helpen om je inzetbaarheid of employability te testen. Deze checklist geeft een goede indicatie.

De basis
○ Ik ben fit en gezond
○ Ik ben flexibel
○ Ik leer graag
○ Mijn vakkennis en vaardigheden zijn up to date
○ Ik kan qua gedrag alle relevante dingen
   (overtuigen, coachen, op tijd komen e.d.)
○ Ik kan resultaten laten zien
○ Ik weet wie ik ben en wat ik wil
○ Ik heb een goed netwerk en kan dat uitbouwen
○ Ik kan solliciteren
○ Ik heb een langetermijnloopbaanplan
   en weet wat de eerste stap is
○ Ik heb een plan B
○ Ik geloof dat een 45-plusser volwaardig
   kan meedoen, of meer dan dat

De bonuspunten
○ Ik heb momenteel werk
○ Ik geloof dat niemand anders dan ikzelf verantwoordelijk
   is voor mijn loopbaan
○ Ik ben in mijn loopbaan enkele keren van werkkring veranderd
○ Ik heb me in mijn loopbaan regelmatig geschoold
○ Het werk dat ik zoek komt tegemoet aan een innerlijke
   drijfveer of passie

Je score Bij alle hokjes die je niet hebt aangevinkt, ligt de schone taak om een verbeterplan te maken, of om te aanvaarden dat je niet perfect bent. Realiseer je dat als je 45 bent, je nog zeker 22 jaar te gaan hebt. Investeren in je inzetbaarheid is ook in de toekomst verstandig, je bent nooit klaar.

Geïnspireerd door onder meer ixly.nl

Blijf scherp!

Loopbaancoach Reina Janssen over hoe je fris blijft als werkende mens:

'In de vele outplacementtrajecten die ik heb gedaan heb ik ervaren hoe noodzakelijk het is dat je blijft werken aan je persoonlijke ontwikkeling. Blijf altijd scherp! Onderken wat je lastig vindt, zoals voor jezelf opkomen, 'nee' zeggen, onvrede bespreekbaar maken, en probeer je hierin te ontwikkelen. Dit vergroot je effectiviteit. Wees loyaal aan je werkgever én blijf trouw aan jezelf. Als dingen niet goed voelen, ga daar dan voor zitten - eventueel samen met een loopbaan-professional - onderzoek wat het is en wat je ermee wilt en onderneem actie.

Maak keuzes waarvan je diep van binnen voelt dat je ze wilt maken. Trotseer de spannende en onbekende consequenties. Hoor alle bedenkingen van buitenaf en negeer ze. Doen! Je verbindt je aan niks voor het leven en kunt altijd bijsturen. Ga netwerken, netwerken, netwerken. Omdat het leuk is! En steek zelf geld in je eigen ontwikkeling en laat je niet beperken door het budget van je werkgever.

De sleutel ligt in mijn ogen voor een belangrijk deel in luisteren naar jezelf en investeren in je persoonlijke ontwikkeling. Het belang van communicatieve vaardigheden, jezelf kunnen presenteren, onderhouden van een netwerk, nieuwe contacten durven aangaan wordt steeds groter. De basis daarvan is een positief zelf-beeld en voldoende zelfvertrouwen. En dit zelfvertrouwen bouw je voor een belangrijk deel op door te doen wat je spannend vindt.'
www.janssencoaching.nl

'Het ligt niet aan mij'

Ik werkte ruim 32 jaar op een notariskantoor. Daar was ik volledig verantwoordelijk voor alles wat met acquisitie te maken had. Totdat er in 2009 een noodzakelijke reorganisatie kwam vanwege de crisis. Echt ongerust was ik niet. Ik zou wel snel een andere baan vinden. Dat viel flink tegen. Ik benaderde al mijn netwerken, keek in aanpalende sectoren. Ik had ook redelijk wat gesprekken. Maar niets dat een nieuwe uitdaging opleverde. Ik ben ervan overtuigd dat mijn leeftijd meespeelt. Niemand zegt het hardop, maar boven je veertigste ben je redelijk kansloos. Bovendien ben ik vrij dominant en energiek. Ik had een keer een gesprek met een – aanzienlijk jongere – eigenaar van een notariskantoor. Het gesprek verliep goed, toch koos hij me niet. Hij zei: "Binnen een week denken mensen dat jij hier de directeur bent." En dat was het dan.

Ik ben nu bijna vijf jaar werkloos. In het begin werd ik er weleens somber van. Ik heb, net als veel lotgenoten, zoveel kennis en ervaring die nu niet worden benut. Gaandeweg leerde ik te relativeren. Er is gewoon geen werk. En dat ligt aan de crisis, niet aan mij.

In 2005 begon ik als hobby een wijnkoperij. Maar dat groeit denk ik niet uit tot een echte onderneming. Daarvoor is de markt te klein. zzp-er worden in mijn eigen branche zie ik niet zitten. Dat vind ik eigenlijk een vorm van verkapte werkloosheid: word je ontslagen, ga je als zzp-er hetzelfde doen, om ook geen werk te krijgen. Nee, dank je.

Langzaamaan wen ik aan een baanloos bestaan. Financieel heb ik niet te klagen. Zeker: voorheen gingen we veel uit eten, vaak op vakantie, stopten de kinderen ruimhartig geld toe. Dat kan niet meer. Maar dat zijn luxeproblemen. We hebben absoluut geen geldtekort. Ons huis is vrij van hypotheek, we hebben flink gespaard en ik kreeg een gouden handdruk. Bovendien heeft mijn vrouw een deeltijdbaan als doktersassistente. Met veel plezier. Die blijft voorlopig wel werken.

Ik vul mijn dagen goed. Zo deed ik mee aan een initiatief via het UWV om ervaringen te delen in een werkgroep 55+. Verder overweeg ik ander vrijwilligerswerk: jonge mensen laten zien wat allemaal mogelijk is bijvoorbeeld. Over vier jaar ben ik 62, dan is mijn vrouw 60. Tegen die tijd komen een deel van mijn oudedagvoorzieningen en lijfrentes vrij. Misschien verkopen we ons huis en beginnen een bed & breakfast in Frankrijk. Kortom: ik wil vooral niet vergeten dat deze periode voorbij zal gaan. Ik wil positief naar de toekomst blijven kijken en – dat is niet altijd makkelijk – dagelijks genieten van het leven.' (HK)

Jan-Ernst de Planque
(58 jaar)

Door de mangel

Vastgelopen in je werk rond je vijftigste? Dan is het hoog tijd voor diepgravend zelfonderzoek. Feico Houweling grabbelde zijn spaargeld bij elkaar en volgde een loopbaantraject bij Van Ede & Partners. Een openhartig verslag van een confronterende zoektocht. 'Toen ik aan de beurt was, zag ik mijn groepsgenoten in een gapende verveling wegtrekken.'

◆

Door **Feico Houweling**

Fight, fly, freeze, dat zijn volgens de gangbare opvatting de drie keuzes wanneer je bent vastgelopen in je werk. Je kunt vechten, vluchten of in je situatie vastvriezen. Maar ik zie nog een vierde mogelijkheid: *fortify*! Creëer je eigen koninkrijk en leg er een zware verdedigingsmuur omheen!

Dat is wat ik deed toen mijn ambities aan diggelen waren gegooid. Ik werkte als redacteur bij een krant en had wel graag hoofdredacteur willen worden, maar helaas was ik de enige die daar iets in zag. Collega's en uitgever waren eensgezind in hun opvatting dat het geen goed idee was.

◆

Na zo'n mislukte gooi naar de leiding moet je eigenlijk weggaan, maar hoe doe je dat in een arbeidsmarkt die muurvast zit en op een leeftijd, rond de vijftig, wanneer je veel te duur bent geworden? Ik bleef en begon mijn eigen projectjes. Het was in de begintijd van internet, eind jaren negentig. Ik begon bijvoorbeeld met een e-mail nieuwsbrief, een van de eerste in Nederland, die ook een doorslaggevend succes werd.

Maar mijn collega's moesten daar aanvankelijk niets van hebben. Juist in die tijd werd geknokt voor het behoud van de papieren krant en mijn boodschap dat we moesten gaan digitaliseren, riep alleen maar verzet op. De uitgever zag op zijn beurt wel de commerciële kansen, hij heeft er later zelfs nog een marketingprijsje mee gewonnen, maar hij misbruikte het nieuwe medium ook om de frequentie van de gedrukte krant terug te schroeven.

Wel succes, geen goodwill. Hoe kan zoiets? 'Dat is het omgekeerde Peter Principle', legde iemand me uit. 'Je kent het Peter Principle wel, dat gaat ervan uit dat iemand in een organisatie zo goed is, dat hij steeds wordt gepromoveerd. Maar op een gegeven moment belandt hij op een positie die hij niet meer aankan. Hij is te ver doorgepromoveerd en nu is hij incompetent. Daarom zijn in principe alle hogere leidinggevenden niet tegen hun taak opgewassen. Kijk naar je baas. Ze hadden allemaal een trapje lager moeten blijven zitten.'

'Maar', ging hij verder, 'het omgekeerde Peter Principle is het geval van de werknemer die best competent is, maar die niet wordt gepromoveerd. Hij is te goed voor zijn functie. Dus wat gaat hij doen? Hij creëert een koninkrijkje voor zichzelf en gaat daarin allemaal dingen doen die niet mogen, maar wel interessant zijn. Dat levert conflicten op, frustraties, ruzie met zijn collega's en zijn baas.'

De waarheid was intussen dat ik me volledig isoleerde van mijn collega's en de werksfeer ver beneden het nulpunt daalde. Ik zat in wat de Amerikanen een Catch 22 noemen. Ik moest vertrekken om iets nieuws te kunnen doen, maar kon niet weg want op de arbeidsmarkt was ik kansloos. Dus had ik niet de mogelijkheid om iets anders te gaan doen. Moest ik dan maar aansturen op een ontslag?

◆

Je zit rustig op een stoel bij de dokter. Er was dus wat aan de hand, maar ineens zit je te trillen als een riet. Er was dus wel wat en niet zo weinig ook.

Het begon ermee dat ik na jaren van knokken en volhouden echt niet meer wist wat ik moest doen. Ik verlangde naar een time out. Dan meld je je maar ziek. Op naar het bureau van de ARBO-instantie. De dienstdoende keuringsarts zou beoordelen in hoeverre er echt iets met me aan de hand was. Dat leek me een uitdaging. Hoe moet je een ziekte simuleren? Ik had geen koorts en ook geen gebroken arm. Een beetje onzeker stapte ik zijn kantoor binnen, ging zitten en vertelde zo'n beetje wat er met me aan de hand was.

Ik had verwacht dat het allemaal zakelijk zou verlopen, met formulieren om in te vullen, een paar medische vragen en een termijn waarop ik geacht werd om weer beter te zijn, bijvoorbeeld twee of drie weken. Die kreeg ik inderdaad ook, maar terwijl ik zat te vertellen voelde ik van onderin mijn lijf iets opborrelen wat ik eerder nog niet had ervaren. Ik begon te beven en verloor volledig de controle over mijn zenuwen. De keuringsarts zag dat natuurlijk. Ik hoefde niet te simuleren. Het was echt, veel echter dan ik zelf voor mogelijk had gehouden. Wat in mijn hoofd had gezeten, was zomaar fysiek geworden.

Toen ik met knikkende knieën dat kantoor verliet, wist ik dat er iets moest gebeuren. Maar wat? Het begrip burn-out was in die tijd nog niet echt gangbaar. Ik had het volledig gehad op mijn werk, maar de realiteit was dat ik geen enkele uitweg zag.

Ik viel in een zwart gat. Die duisternis is heel reëel. Iemand doet het licht uit en je hebt het gevoel dat je geen kant meer op kan. Het voelt buitengewoon onveilig en zelfs al geloof je niet in spoken, dan nog weet je op dat moment diep in je hart wel beter. Ze zijn overal om je heen. Ongrijpbaar, maar tegelijkertijd strekken ze hun klauwen wel naar je uit.

Mijn hersens functioneerden niet echt meer. Ik hoefde er niet meer op te rekenen dat ik nog leuke of slimme oplossingen zou kunnen bedenken. En ik voelde me erg alleen staan, ook al kon ik hier met mijn partner goed over praten. Ik stond er niet alleen voor, maar het was me wel duidelijk dat ik het was die nu een beslissing moest gaan nemen. En niemand anders.

Maar wat voor een beslissing? Een andere baan? Je neemt jezelf altijd mee, waar je ook gaat. In elke nieuwe baan zou ik dezelfde problemen tegenkomen. Te veel ambitie, te veel mogelijkheden zien. Betonnen muur. Boem!

◆

Eigenlijk had ik totaal geen fiducie in loopbaanbureaus. In de journalistiek heb je geen loopbaan nodig, alleen een baan bij een goeie krant. Als ik een loopbaan had willen hebben, zou ik wel een ander vak hebben gekozen. Maar het viel me op dat er een paar loopbaanbureaus waren die oog hadden voor net iets meer dan alleen een baan en een inkomen. Mijn probleem was veel meer een levensvraag aan het worden. Wat moest ik doen? Wat kon ik eigenlijk, behalve stukjes schrijven?

Ik was een beetje een gek geval. Normaal gesproken werden werknemers door hun baas naar een loopbaanbureau verwezen, maar ik kwam uit mijzelf. Dit was dus geen outplacement. De psycholoog met wie ik het intakegesprek voerde, wist zich er duidelijk niet goed raad mee. Ik zal klauwen met geld gaan uitgeven voor een loopbaantraject dat normaal door de werkgever wordt betaald. (Mijn baas had dat geweigerd. 'Niet in het bedrijfsbelang.' Punt uit.)

Het was fijn geweest als mijn werkgever had geholpen met een mooi geldbedrag om een loopbaantraject te gaan volgen, maar het zou ook nadelen hebben gehad. Ik zou nooit helemaal echt het gevoel hebben gehad dat ik het zelf had gedaan.

Ik besprak de situatie met mijn echtgenote en zij vond misschien nog sterker dan ik dat de investering het doel waard was. € 3.500, het was geen kleinigheid. Het programma zou bestaan uit een zelfanalyse met een van de psychologen, een pakketje van allerlei diensten zoals het schrijven van een autobiografie, het leren maken van een resumé en een driedaags reflectieprogramma. Eigenlijk was dat alleen maar een basis, maar voor meer had ik de centen niet.

Aan de slag! Het opstellen van een autobiografie vond ik niet makkelijk. Al schrijvende moest ik toegeven dat mijn realiteitszin niet altijd optimaal was geweest. Hoe vaak had ik me niet laten leiden door idealen en hersenspinsels. Mijn leven had zich bewogen van een opstandige puberteit via trektochten door Europa en jarenlang verblijf in diverse leefgemeenschappen naar de journalistiek en het leven met een jong gezin. En dan middenin dat leven plotseling de keus om een universitaire studie te gaan volgen. Financieel desastreus. En nu dit weer. Op het moment dat alles stabiel leek en ik misschien wel prima had kunnen doorwerken op de krant waar ik een vaste baan had, het besluit om alles helemaal anders aan te gaan pakken.

In veel opzichten was ik een luchtfietser, een wereldvreemde idealist die zich in allerlei uitdagingen stortte zonder daarvan de consequenties te overzien en prachtige kansen liet liggen die mensen met iets meer nuchterheid onmiddellijk zouden hebben gegrepen.

En toch kon ik zeggen dat ik geen spijt had. Ik hoefde niet als Frank Sinatra te zingen, "I did it my way", maar ik had wel het gevoel tenminste zelf keuzes te heb-

In elke nieuwe baan zou ik dezelfde problemen tegenkomen. Te veel ambitie, te veel mogelijkheden zien. Betonnen muur.

Boem!

◆

ben gemaakt. Maar spijt was er toch ook, over de talrijke stommiteiten en de talrijke kansen op een goede positie en dito inkomen die ik had laten lopen. Maar ik herinnerde me ook het gesprek bij de Arbodienst. Er was serieus iets aan de hand, al wist ik niet wat.

◆

'Saai', zei ze. Zonder blikken of blozen. Ik voelde alle ogen op me gericht, maar onderging het oordeel over mij zonder uiterlijk protest. Dat was de afspraak. We zouden aanhoren wat anderen op het eerste gezicht van ons vonden, zonder tegenspraak.

De overige oordelen waren milder. Ik ben ze allemaal vergeten, behalve deze. Het was de eerste bijeenkomst van een reeks die in totaal drie dagen zou gaan duren. Visieontwikkeling. Een visie op onszelf, onze ervaringen en onze mogelijkheden voor de toekomst. Met zijn twaalven, net iets meer mannen dan vrouwen, zouden we drie dagen doorbrengen in een kamer van een luxueuze villa.

Ik had een bewuste keuze gemaakt voor een bureau dat nadrukkelijk naar meer keek dan alleen de loopbaan. Er zijn genoeg carrièrebureaus waar je terechtkunt voor zelfanalyse en training om een nieuwe betrekking te veroveren. Daar had ik op zich niks tegen, maar voor mij was het op dat moment niet genoeg om alleen maar naar mijn kennis en kunde te kijken. Ik had het gevoel dat ik wat dieper zou moeten graven om er echt achter te komen wat bij me zou passen. Dat had ook wel te maken met het feit dat ik de vijftig inmiddels was gepasseerd en het gevoel had dat ik nog één keer mijn leven op een nieuw spoor zou kunnen zetten.

Maar die keuze voor dat bureau dat zo nadrukkelijk ook naar de mens zelf wilde kijken, had ook een nadeel. Het leek aanvankelijk een nogal zweverige aangelegenheid. We kregen bij het begin een boekje over iets dat 'zijnsoriëntatie' werd genoemd en dat ging over inspiratie in leven en werk. Nu had ik niets tegen inspiratie, maar de grote vraag is altijd waar je die vandaan haalt. En precies dat is volgens mij voor iedereen verschillend. Voor sommigen kan dat spiritualiteit zijn, maar voor anderen juist een heel fysieke bezigheid, zoals houthakken of een berg beklimmen.

Die jongedame tegenover me haalde haar inspiratie in ieder geval niet uit mij en dat viel me vies tegen. En dat was nog maar het begin van drie dagen waarbij we allerlei oefeningen kregen, die we deels met elkaar en deels in groepjes uitvoerden. Zeker op de eerste dag maar ook op de tweede wemelde het nog van de cliché idealen. Minstens de helft van de mannen had zich voorgenomen om iets van consultant of adviseur te worden en anderen liepen met wilde plannen rond, bijvoorbeeld om als wijnhandelaar de toekomst in te gaan.

Kortom, voor de meesten van ons was het de hoogste tijd voor een pittige confrontatie met onszelf, maar de begeleiders tijdens deze drie dagen stuurden daar niet op aan. Integendeel, ik kreeg de indruk dat ze doorhadden dat ieder zijn eigen moment heeft waarop je tegen jezelf aanloopt. Voor mij zou dat moment onverbiddelijk komen.

Er hing een ongemakkelijke sfeer in de kamer. We zaten op eenvoudige stoelen en iemand die op een willekeurig ogenblik zou binnenstappen, zou on-middellijk de cursusleider kunnen aanwijzen. Die zat er overwegend net een iets-je meer achterover gezakt bij, observerend, op z'n gemak in tegenstelling tot de slachtoffers die geen idee hadden wat er nu weer ging gebeuren.

We wisten al van tevoren dat dit driedaagse reflectieprogramma niet zou bestaan uit droge sessies over scholing en carrière. Het zou over onszelf gaan en over onze ontwikkelingsmogelijkheden. Dus eigenlijk over dingen waar je helemaal geen an-dere mensen bij wilt hebben. En dat veroorzaakte dan ook grote verlegenheid. Ik denk dat de meeste deelnemers totaal geen ervaring hadden met dit soort groeps-gesprekken. Je uiten in een grotere groep, je kwetsbaar opstellen, laten zien wie je bent, het zijn geen vanzelfsprekendheden. In het bedrijfsleven zijn ze zelfs taboe.

"Zeur niet, ik wil gewoon een nieuwe baan!" Dat was wat volgens mij de meeste mensen dachten. Een paar mannen die tegen de vijftig liepen stonden er misschien wat anders in. De een wist dat hij nooit meer een baan zou krijgen, bijvoorbeeld een voormalig boekhouder met een droge stem, een beetje lege blik en een onuit-puttelijk arsenaal aan dooddoeners en gemeenplaatsen. 'Alles draait uiteindelijk al-leen maar om geld!' Zulke uitzichtloze uitspraken. Een aardige, lieve man die door het noodlot was getroffen. No future?

Een paar hadden duidelijk de kracht om zelf een onderneming te beginnen, zoals de man die in wijn wilde gaan handelen. Hij had helemaal geen boodschap aan wat anderen wilden, voelden, dachten of meemaakten. Zijn toekomst was vrij letterlijk al in kannen en kruiken. Ik denk dat hij het wel gered heeft, maar zijn voorbeeld inspireerde me totaal niet. Wat heb je aan mensen die het allemaal al weten? Geef me liever iemand met vragen die ik kan delen.

Er waren er een paar bij die het echt niet meer wisten en voor het wie heel be-langrijk was om te beseffen dat ze niet alleen stonden in hun wanhoop. Het was te horen aan de toon van hun stem en ook aan de dingen die ze zeiden. Het waren degenen die echt hun best deden om wat op te steken van wat ze hier meemaakten.

Er werden misschien wat vriendschappen gesloten, maar er vormde zich geen groep. Als ik nu op straat tegen een van de toenmalige deelnemers zou aanlopen, zou ik hem of haar niet zomaar meer herkennen. Behoefte aan een reünie was er achteraf ook niet. Dit was misschien wel de voorbode van het echte nieuwe netwer-ken, je brengt een toevallige periode met elkaar door en na afloop is die periode ook echt helemaal voorbij. Maar niet voordat voor mij het Uur U was gekomen.

◆

Het moment van de waarheid kwam heel anders dan ik had verwacht. Echt heel anders. Ik had gedacht allerlei nuttige dingen te horen en daar dan diep over na te denken. Daarnaast zouden we dan wat oefeningen doen waardoor je zelfin-zicht kweekte en dat alles tezamen zou dan tot een soort conclusie moeten leiden over wie ik was en wat ik zou willen worden.

Mijn echtgenote
zei: 'Misschien
word je nog eens
iets wat nog
helemaal niet
bestaat.'

◆

Niets daarvan. De waarheid komt op de meest onverwachte momenten en is niet iets wat je kunt bedenken. Bij mij kwam het tijdens een oefening waarbij alle deelnemers een lijstje moesten maken van de drie beroepen die ze het liefste zouden uitoefenen op dit moment. Zeg maar, straaljagerpiloot, brandweerman of schoolmeester.

Mijn drie keuzes pasten helemaal in het stramien van hoe ik tot nu toe had geleefd. Op de eerste plaats schrijver van boeken. Als dat niet zou gaan dan wilde ik ook nog wel gewoon in de journalistiek verder. Mijn laatste keus, maar nog altijd relevant, was die van wetenschappelijk medewerker aan een universiteit, in een vak als letteren of geschiedenis.

We bespraken onze voorkeuren in kleine groepjes. Toen ik aan de beurt was, zag ik mijn groepsgenoten in een gapende verveling wegtrekken. Ineens werd helemaal waar wat tijdens de allereerste sessie al was gezegd, namelijk dat ik doodsaai overkwam. Een beetje machteloos verdedigde ik nog mijn keuzes, maar het spel was verloren.

Daar zat ik dan. Tot iemand zo vriendelijk was om te vragen waarom ik zo graag schrijver wilde zijn. Daarop begon ik te vertellen over mijn eerste boek, een romannetje over een periode in mijn jeugd die ik had doorgebracht in Noord-Noorwegen. Dat wekt interesse.

Toen gebeurde het. Iemand merkte terloops op: 'Je kunt eigenlijk erg boeiend vertellen.'

Ineens realiseerde ik me dat precies dít mij al minstens twee keer duidelijk was geworden. De eerste keer was toen ik jaren eerder hetzelfde relaas had opgehangen tegenover een aantal vrienden. Ik merkte toen dat ik er plezier in had om dat verhaal te vertellen. Een tweede keer deed zich voor in Polen. Op een landgoed in Silezië dat in de Tweede Wereldoorlog eigendom was geweest van een Duitse verzetsstrijder was ik een internationale groep vrijwilligers tegengekomen die de geschiedenis van de landgoed niet kenden. Ik bood ze aan die te vertellen en dat leverde een uiterst boeiende middag op.

Mijn echtgenote heeft me een keer gezegd: 'Misschien word je nog eens iets wat nog helemaal niet bestaat.' En van de ene seconde op de andere werd het me volkomen duidelijk, daar in die groepssessie. Als er iets is wat ik wilde doen, zoals een schilder wil schilderen en een musicus wil musiceren, dan is het vertellen. Ik zou verteller worden.

◆

Sommigen vonden dat ik een luxe-studie had gedaan: scandinavistiek en geschiedenis. Alleen maar omdat ik dat zulke mooie vakken vond, maar zonder enig uitzicht op een carrière.

Van onverantwoorde keuzes heb ik nooit spijt gehad. Ik ben de gelukkige vader van drie kinderen en ik heb ze alle drie voorgehouden dat het niet uitmaakt wat je studeert, omdat de kans dat je iets gaat doen wat rechtstreeks in het verlengde ligt van je studie maar heel erg klein is. Je kiest die studie op een moment dat je nog lang niet toe bent aan de vorming van je verdere leven. Die studie is alleen maar een basis, een springplank om verder te komen.

Ga dus rustig een nutteloos vak studeren en laat je vooral nooit intimideren door mensen in de beroepskeuzebranche die denken dat je al wissels moet gaan trekken in de periode dat je juist de vrijheid nodig hebt om er voor te zorgen dat je ook later nog alle kanten op kunt. Studeer economie, rechten, geschiedenis of een mooie taal, iets waar je plezier in hebt, en je zult zien dat je in een totaal ander beroep terechtkomt. Geeft niks.

Het verschil tussen mensen die de vrijheid durven te nemen en degenen die dat niet durven of willen, werd me tijdens het reflectieprogramma wel heel duidelijk. De boekhouder kon duidelijk niet anders dan boekhouden en kon zich ook helemaal niet voorstellen dat hij iets anders zou doen dan boekhouden. Een secretaresse die was opgeklommen tot managementassistente had misschien de mogelijkheid om ietsje ruimer te denken en was ook al een beetje buiten de gebaande paden gegaan door managementverantwoordelijkheden op zich te nemen. Zij had pit en enthousiasme, maar tegelijkertijd was ze zo ongelooflijk praktisch ingesteld, dat ze bij alles wat ze zei en deed eigenlijk net wat te kort door de bocht ging. Ze is intussen misschien een webwinkel of iets dergelijks begonnen.

Dat verschil in houding heeft naar mijn gevoel veel te maken met opvoeding en de druk die in onze maatschappij op jongeren wordt gezet om zo vroeg mogelijk een carrièrespoor te gaan volgen. Ik herinner me nog een interview waarin zo'n beroepsadviseur opmerkte dat jongeren maar beter voor een gedegen opleiding konden kiezen en er niet tussenuit moesten gaan, bijvoorbeeld voor vrijwilligerswerk. Citaat: 'Het staat niet best op je CV, als je schrijft dat je een jaar hebt lopen lanterfanten in een kibboets.' Nu heeft een van mijn kinderen toevallig een jaar in een kibboets doorgebracht en ik ben ervan overtuigd dat dat een belangrijke vormende periode is geweest.

Goddank heeft een beroepsadviseur daar niks mee te maken gehad. Vrijheid is een manier van leven. Met mijn kennis van de Noorse taal ben ik aanvankelijk als journalist in de olie-industrie terechtgekomen. Zoiets kun je niet voorzien. Daarna kwam ik bij een vakblad in de transportsector. Toen ik daar vastliep, had ik nog mijn kennis van de geschiedenis. Opnieuw kon ik mezelf de vrijheid geven om iets totaal anders te gaan doen. Verteller worden, bijvoorbeeld.

◆

Gelukkig werd ons aan het eind van de sessie niet gevraagd wat we van plan waren om te gaan doen. Ik zou er echt geen antwoord op hebben kunnen geven. Mijn voornemen om verteller te worden, hield ik wijselijk voor me. Want wat was dat in godsnaam, een verteller? Ik krijg er zelf een beeld bij van enigszins verwilderde creatievelingen in de theatersector, die sprookjes vertellen voor kinderen en volwassenen. Was dat wat ik wilde? Het schuurde een beetje. Er was denkwerk nodig.

Het idee 'vertellen' was het uitgangspunt. Ik zou het zelf moeten invullen. Om sprookjes te gaan vertellen, leek me niet zo goed plan. Maar geschiedenis, dat zou nog wel eens kunnen. En meer literaire verhalen wellicht ook. Ik had er genoeg van op de plank liggen om een begin te maken. Dus ging ik oefenen. Op mijn werkkamer, met een van die verhalen in de hand en dan maar vertellen.

Dat werd dus helemaal niks. Ik stond met een mond vol tanden en het vertellen werd eigenlijk meer voorlezen van papier. Terwijl het idee nu juist was om er helemaal geen papier bij te gebruiken. Maar hoe dan? Is er een opleiding voor vertellers? Ik begon op internet te zoeken en kwam inderdaad een paar cursussen tegen, precies in de sfeer zoals ik die al voor ogen had. Sprookjes, spannende verhalen, kinderen, theater, het was eigenlijk niet wat ik zocht, maar ik zou toch de kunst moeten leren, dus schreef ik me in voor zo'n cursus verhalen vertellen aan een gemeentelijke instelling voor kunstzinnige vorming.

Ik moet toegeven dat ik misschien zelden in zo'n korte tijd, anderhalve dag, zoveel geleerd heb over een totaal nieuw werkgebied. Heel eenvoudige technieken, maar wel essentiële. Echt van die dingen die je totaal kunt onderschatten. Je manier van opkomen bijvoorbeeld. Je laten zien aan het publiek, rust scheppen, contact maken, je publiek betrekken en dan vertellen.

Ik moest het diepe in. Vrienden en kennissen vroeg ik of ze zin hadden om een paar avonden te komen luisteren naar vertellingen over de Europese geschiedenis. Zo vormde zich een groepje waarop ik mijn kunsten kon uitproberen. De techniek kwam me te hulp in de vorm van het notebook en PowerPoint. De stuntelfase duurde wel even, maar daarna ging het als vanzelf. En sindsdien ben ik dus verteller van geschiedenis, een prachtig vak dat meer energie geeft dan het vergt en waar iedereen heel erg blij van wordt. Dat is nog het mooiste.

Ik denk niet dat ik dit vak eerder in mijn leven had kunnen uitoefenen, want naast verteltalent is er ook overtuiging nodig voor wat je wilt gaan vertellen. En dat vraagt om de nodige levenservaring. Wat dat betreft kwam de keuze op het juiste moment en ben ik alleen maar dankbaar voor de crisis die aan die keuze vooraf is gegaan. Die crisis was alleszins de moeite waard. ■

Feico Houweling is sinds enkele jaren verteller van beroep. Voor zijn podcasts op www.hoorgeschiedenis.nl won hij de European Podcast Award 2011. Ook geeft hij geschiedeniscursussen voor Hovo (hoger onderwijs voor ouderen).

Weet waar je staat met **EVC**

bewijzen. Competenties die je in maar ook buiten je werk hebt verworven. Je bouwt een portfolio op en doet assessments. Na afloop van zo'n traject krijg je een ervaringscertificaat. Dat is een mooie aanvulling op (eventuele) diploma's en je cv.

Wat heb je eraan?

• Je vindt makkelijker een baan: een EVC-traject is een betrouwbare en overtuigende manier om te bewijzen wat je weet en kunt.

• Je staat sterker in je werk: soms is het verrassend, voor je werkgever én voor jezelf, hoeveel je hebt geleerd in de praktijk. EVC leidt tot meer zelfvertrouwen en waardering van je collega's en werkgever.

• Ga je een (vervolg)opleiding doen, dan geeft een erva- ringscertificaat vaak recht op vrijstellingen voor mbo- of hbo-opleidingen. De opleidingsduur wordt korter.

Hoe kom je aan een ervaringscertificaat?

Je kunt terecht bij 70 erkende EVC-aanbieders. Zij brengen je vakkennis en vaardigheden op professio- nele wijze in kaart. Via www.kenniscentrumevc.nl is het EVC-register toegankelijk met alle erkende EVC-aanbieders en alle beschikbare EVC-procedures. Ook staat op deze website een animatie die in een paar minuten laat zien hoe EVC kan werken. Voor vragen kun je terecht bij het Kenniscentrum EVC, info@kenniscentrumevc.nl, 030-6374711.

De baan voor het leven bestaat niet meer. Mensen moeten zich flexibel kunnen bewegen op de arbeidsmarkt. Maar dat wil nog niet zeg- gen dat je nu fluitend van baan naar gaan gaat of zomaar een nieuwe carrière op de rails zet. Van belang is dat je een goed beeld hebt van je aanwezige competenties voor je profilering en verdere ontwikkeling!

(Werk)ervaring aantonen

Stel: je hebt na je studie jarenlang gewerkt. Je hebt interne cursussen en opleidingen gevolgd en interessante projecten uitgevoerd. Dan wil of moet je veranderen van baan en vraag je je af: wat zijn mijn werkervaring en cursussen eigenlijk waard? Via EVC kun je aantonen wat je de laatste jaren allemaal hebt geleerd. EVC staat voor erkenning van verworven competenties of ervaringscertificaat.

Hoe werkt het?

Je kunt met een EVC-traject allerlei competenties

Weet wat je waard bent met NLQF

Duurzame inzetbaarheid en een leven lang leren. Het zijn moderne credo's die de baanzekerheid van nog niet eens zo heel lang geleden hebben vervangen. Werknemers zijn steeds meer zélf verantwoordelijk voor hun loopbaan en ontwikkeling.

Opleidingen vergelijken

Om aan te kunnen tonen wat je waard bent op de arbeidsmarkt heb je een cv waarop vaak allerlei opleidingen, cursussen en diploma's staan vermeld. Maar lang niet altijd is helder waar deze precies voor staan en om welk niveau het gaat. Een instrument dat kan bijdragen aan meer duidelijkheid is het Nederlands Kwalificatiekader (NLQF). Het NLQF maakt het mogelijk niveaus van diploma's en certificaten te vergelijken.

Hoe zit het in elkaar?

NLQF rangschikt kwalificaties in ons land op 8 verschillende niveaus en er is een instroomniveau. Om een idee te geven: de havo is bijvoorbeeld ingeschaald in niveau 4 en masteropleidingen zijn ingeschaald in niveau 7. Ook kwalificaties van private opleiders en bedrijfsopleidingen kunnen worden ingeschaald. Zo wordt inzichtelijk hoe een interne bedrijfsopleiding zich qua

niveau verhoudt tot andere (reguliere) opleidingen. Bovendien is het NLQF gekoppeld aan het EQF (European Qualification Framework) waardoor het mogelijk wordt om kwalificaties ook op Europees niveau te vergelijken.

Wat heb je eraan?

- Het NLQF geeft jou en je (potentiële) werkgever inzicht in het niveau van gevolgde opleiding(en);
- het helpt de juiste opleiding(en) te kiezen;
- het geeft inzicht in het niveau van opleiding(en) ten opzichte van opleidingen in andere Europese landen.

Meer weten?

Op www.nlqf.nl vind je alle informatie over de niveaus en inschaling van opleidingen. Voor vragen kun je terecht bij het Nederlands Coördinatiepunt NLQF, info@ncpnlqf.nl, 073-6800784.

B A A N

G E Z O

P E R

D I R E

Zo werkt het niet mevrouw!

C H T !

C T

Het uitzendbureau, was dat niet iets voor post sorteren tijdens je studie? Ja, ooit. Tegenwoordig zijn er gespecialiseerde bureaus die 45-plussers aan werk helpen. Wat kan zo'n bureau voor je betekenen? Linda van Tilburg schreef zich in.

Ik ben 45 en sinds mijn afstuderen geen dag werkloos geweest. Journalist. Goed in wat ik doe. Altijd gevraagd om te solliciteren. Waar ik binnenkwam, rolde ik door. De laatste acht jaar ben ik zzp'er. Daar woon ik leuk van. Acquisitie heb ik zelden hoeven doen. In dit vak moet je het van je netwerk hebben. En dat liet me nooit in de steek. Tot de crisis kwam. Bladen vielen om, budgetten werden gekort, redacties huurden alleen nog goedkope jonkies in. Nu droogt mijn opdrachtenstroom op. En het gaat hard. Niemand uit mijn netwerk die nog 'iets hoort'; we zitten allemaal in hetzelfde schuitje. De enkele vacature die nog verschijnt, levert niet eens een uitnodiging voor een gesprek op. 'De keuze is gevallen op kandidaten die aansluiten bij het functieprofiel. Helaas hoort u daar niet bij.'

Op dus naar het gespecialiseerde uitzendbureau voor 45-plussers. Ik lijk de ideale kandidaat. Ervaren, maar niet oud. Meegegaan met mijn tijd, zoals dat heet. Zo heb ik vier content management systemen in de vingers, geleerd in klussen als webredacteur. Flexibel ben ik: ik schrijf voor wie maar iets te schrijven heeft. Van advertorials voor bedrijven tot columns voor een publieke figuur. Ik doe met liefde uitvoerend werk en ik hoef daarvoor niet de hoofdprijs. Ik wil gewoon lekker aan de slag en met een gerust hart mijn rekeningen kunnen openen.

Ik geef mezelf een maand. Verheug me op gesprekken met mensen die inzien dat je mij los kunt laten in tal van functies waar ik geen papiertje voor heb – of niet de vereiste vijf jaar ervaring. Mensen die er, net als ik, van overtuigd zijn dat het binnen drie weken zal zijn alsof ik nooit iets anders heb gedaan. Een snel onderzoek op internet levert zeventien uitzendbureaus voor 'ouderen' op. Minus leeftijdseisen (50+, 65+) en specialisaties (financieel) waar ik niet aan voldoe, zijn er zeven waar ik terecht kan. Prima.

Mijn ervaring met uitzendbureaus tot nu toe is beperkt. Ik heb me één keer op die markt gewaagd, op mijn negentiende. Zonder succes. Ik was gestopt met mijn studie, terug op de zolderkamer bij mijn ouders en ik moest dringend aan de bak. 'Je bent al bijna twintig', zei de directeur van een timmerbedrijf dat een telefoniste zocht. 'Welke garantie heb ik dat je over twee jaar niet stopt om aan kinderen te beginnen?'

Dan toch maar eens naar die bureaus die ik nog nooit nodig had gehad. 'Dan krijg je wel wat', zei mijn vader. 'Desnoods in de fabriek.' Het was medio jaren tachtig. Het land zat in de naweeën van wat tot voor kort de grootste economische crisis sinds de jaren dertig was. Uitzendbureaus werden platgelopen. Wilde je aan een lopendebandbaantje komen, dan moest je zo ongeveer met een slaapzak voor de deur gaan liggen.

Maar daar had ik geen benul van toen ik mijn tocht langs de Randstads en Tempo Teams begon. Bovendien: ik had een vwo-diploma op zak. Slim en gretig was ik, mét werkervaring. Wat zou er mis kunnen gaan?

Achter elke desk ontmoette ik dezelfde bedenkelijke blikken. 'Gymnasium? Ok, maar wat kán je?' Ik vertelde over mijn talenkennis, mijn uitstekende schrijfvaardigheid, mijn organisatietalent en mijn snelle leervermogen. 'Na twee weken in het lab deed ik de hele personeelsadministratie erbij.' Ze onderbraken me altijd. Of ik papieren had van een vakopleiding. Ook geen typdiploma? Tja, misschien iets in de schoonmaak. 'Als je je haar in een frisse staart doet.'

Ik leerde dat jaar een belangrijke les: om kans te maken bij uitzendbureaus, moet je een vak hebben geleerd. Een beroep waar een kind zich iets bij voor kan stellen. Lasser. Verpleegkundige. Boekhouder. Telefoniste.

Zou het met een kwart eeuw werkervaring anders zijn? Ik ben optimistisch, maar niet lang. Het is zo mogelijk nog erger nu. Het lukt me niet eens om op gesprek te gaan, bij geen enkel bureau. *Alleen op afspraak*, melden alle websites in vetgedrukte letters. Bij sommige kun je niet eens online inschrijven, alleen reageren op vacatures. Nergens staat een baan of een freelance klus voor mij tussen. Op iets in de journalistiek had ik niet gerekend, dat vak is ernstig op z'n retour. Maar medewerker, adviseur, projectmanager of weet-ik-veel-wat in de communicatie, dat zou toch moeten kunnen? Of anders voorlichting, pr, desnoods *content marketing*. Er is niets.

Rijp Senior Werk, dat ook zegt te bemiddelen voor zzp'ers op HBO/WO-niveau, meldt me per geautomatiseerde e-mail dat ze contact met me opnemen als er een passende vacature is. Het aanbod op hun site verschilt weinig van dat van de concurrentie. Verkopers, accountmanagers ICT, chauffeurs, onderwijsassistenten, commercieel binnendienstmedewerkers – wat dat

---

Bureaus voor 45+

Ervaren jaren www.ervaren-jaren.nl
LaborAndum www.laborandum.nl
Rvaring 40+ www.rvaring.nl
Rijp Senior Werk
www.rijpseniorwerk.nl
Seniorstaff www.seniorstaff.nl
Senior Uitzendbureau
www.seniorgroep.nl
Oudstanding www.oudstanding.nl
Novos www.novos.nl

Bureaus voor 50+

55 Plus Uitzendbureau
www.55plus-uitzendbureau.nl
50+ Carrière www.50pluscarriere.nl
MidLife (werving) www.midlife.nl
Oudvit www.seniorenbanen.nl
50-Plus Detacheringsgroep
www.50plusdetachering.nl
NestrX www.nestrx.nl
Route 55 www.route-55.nl
Senior-Actief www.senior-actief.nl
Manpower senior www.manpower.
nl/6649917/Manpower-Senior.html

45+
UITZEND-
BUREAU

ook moge zijn. Plus de gouwe ouwe verpleegkundigen en boekhouders. Vaak staat er 'senior' voor, dat dan wel. Maar voor de rest is mijn zoektocht één grote déjà vu: beroepen met een papiertje, in crisisbestendige sectoren of juist in branches die garen spinnen bij de tijdgeest.

Er zijn ook banen die ik wél kan en wil doen om mijn magere omzet aan te vullen: secretaresse, administratief medewerkster, telefonische verkoop, callcenter operator. Maar daarvoor heb ik een zeer afwijkend cv. Te afwijkend om het naar zo'n functie te herschrijven. Bovendien zal ik wel overgekwalificeerd zijn. Het staat nergens expliciet, maar het aanbod heeft een hoog MBO-gehalte. Voorgedragen worden voor zo'n baan krijg ik alleen voor elkaar als ik kan gaan praten. Als ik bel krijg ik echter steevast te horen dat ik online moet solliciteren op de vacature van mijn keuze.

Ik besluit me niet af te laten schepen. Doe net of ik niet snap waarom ze allemaal alleen op afspraak werken. Op mijn positiefste toon bel ik Ervaren Jaren. 'Ik ben 45, heb ruim twintig jaar werkervaring en ben momenteel op zoek naar een nieuwe uitdaging. Ik begrijp dat u iets voor mij kan betekenen en dat ik daarvoor een afspraak moet maken?' Bewust noem ik mijn vakgebied niet. De man aan de andere kant van de lijn vraagt er ook niet naar. 'Helaas, zo werkt het niet, mevrouw. Wij krijgen vijf van dit soort telefoontjes per dag. Als we met al die mensen in gesprek gaan, komen we aan ander werk niet meer toe. Stuurt u mij uw cv, dan bel ik u als we een vacature hebben – of als de kans groot is dat we u binnen afzienbare tijd kunnen plaatsen.'

Ik mail hem direct. Een maand later wacht ik nog op antwoord.

Bij Rvaring 40+ bied ik me direct aan als communicatiespecialist. 'Die kans is nihil', zegt de dame aan de lijn zonder aarzelen. 'Ik heb er ooit één aanvraag voor gehad, in 2008.' Ik zeg dat ik veel meer kan, maar dat ze daarvoor eerst 'enigszins creatief' naar mijn cv moet kijken. Dat zit er niet in. 'We gaan niet met je cv onder de arm op zoek naar een baan. Je kunt je alleen inschrijven op een specifieke vacature. Zó opgenomen worden in het bestand? Nee. Als je een blanco sollicitatie stuurt, doen we daar niets mee.' Ze maakt het niet mooier dan het is, dat moet ik haar nageven. 'Dat vinden we wel zo eerlijk', zegt ze. 'We zijn ook niet voor niets geen inloopvestiging. In jouw geval, zou ik me inschrijven bij een normaal detacheringsbureau.'

Dat heb ik gedaan. Drie jaar geleden al. Ik ben gestopt met mijn maandelijkse telefoontjes omdat het geen enkele zin had. Maar nu ik toch bezig ben, maar weer eens gebeld met 's lands grootste bureau voor redactiewerk. 'We hebben 9.800 mensen in het bestand en hooguit vier klussen per week te vergeven.' (LVT)

Vitaliteit is cruciaal

Uitzendbureaudirecteur **Patricia Heerkens** is eerlijk: ook gespecialiseerde uitzendbureaus kunnen niet iedere 45-plusser aan een baan helpen. Hoe kan je je kansen vergroten?

Patricia Heerkens, directeur uitzendbureau Oudstanding : 'De concurrentie is groot tegenwoordig. Op één vacature reageren ongeveer honderd mensen. Vroeger hadden we tien keer zoveel banen te vergeven. Kandidaten die een baan vinden, hebben focus. Ze weten wat ze willen en wat ze werkgevers te bieden hebben.

Ze hebben plezier in hun werk en zijn in staat mee te veranderen met wat de werkomgeving van hen vraagt. Dat alles weten ze goed te verwoorden, zowel schriftelijk als in een gesprek. Bij Oudstanding noemen we dat een 'goede mentale vitaliteit'.

'Wat ook helpt, is het stellen van realistische eisen. Mensen die zich horizontaal willen blijven ontwikkelen of die bereid zijn een stapje terug te doen, ook in salaris, hebben de beste kansen op werk. Verder hebben we de meeste vacatures voor uitvoerende functies, tot en met HBO-niveau. Onze kandidaten komen voornamelijk terecht bij de grotere MKB-bedrijven. Administratief, financieel, ICT, zorg, techniek en onderwijs zijn branches waarin we veel aanbod hebben.

'45-plussers die niet aan de slag komen, zijn bijvoorbeeld mensen die nog rouwen om het verlies van hun baan; zij zijn nog te veel met het verleden bezig. Veel mensen geven ook aan dat ze heel veel kunnen en willen.

INTERVIEW

Dat werkt niet. Je moet je duidelijk profileren. Durf keuzes te maken. Anderen weten juist niet goed wat ze willen of kunnen, omdat ze jarenlang werk hebben gedaan dat niet meer bestaat, of een functie hebben gehad die is komen te vervallen. Verder ontbreekt het vaak aan een goede presentatie op papier: een overtuigende motivatiebrief, een duidelijk cv met focus. Geen goed profiel – of helemaal geen profiel - op LinkedIn is ook een minpunt.'

'In 2009 zijn we naast het uitzendbureau gestart met loopbaanbegeleiding. Wie zich traint in nieuwe sollicitatietechnieken en openstaat voor bijscholing, vergroot zijn kansen aanzienlijk. Binnen vijf tot negen maanden vinden deze mensen een baan, leert onze ervaring. Meer dan de helft komt zelfs aan de slag via het eigen netwerk, doordat ze hebben geleerd om "vanuit hun kracht" te solliciteren.

'Het lukt ons beslist om werkgevers te overtuigen van de toegevoegde waarde van 45-plussers. We wijzen erop dat het niet allemaal mensen zijn die hun werkplezier hebben verloren en te lang in dezelfde functie zijn blijven hangen. Dat er uitstekend functionerende "ouderen" zijn die zich nog graag willen ontwikkelen. Het besef dat de groep niet homogeen is, groeit bij werkgevers. Maar het blijft aan de werkzoekende om te laten zien dat hij tot de aantrekkelijke kandidaten behoort. Persoonlijkheid, levenservaring, motivatie en vitaliteit; daar draait het om.'
(LVT)

> 'Je hebt de beste kansen als je een stapje terug wil doen.'

DOE MEE AAN DE GROTE FEESTJES EN PARTIJENLOBBY

Waarom een 45-plusser aannemen?

Werkgevers hebben geen best beeld van de oudere werknemer. En dat is onterecht. Zorg dus dat je de argumenten om 45-plussers aan te nemen bij de hand hebt. Doe mee aan de grote feestjes- en partijenlobby.

Pretpark

Het Dolfinarium Harderwijk zocht dit voorjaar speciaal naar 50-plussers. Waarom? Omdat ze volgens het Dolfinarium loyaal en betrouwbaar zijn en omdat ze doorgaans sociaal vaardiger zijn dan jongeren. Plopsaland, De Efteling en Walibi hebben ook goede ervaringen met ouderen.

Bonus

Werkgevers die oudere werklozen in dienst nemen, kunnen rekenen op verschillende voordeeltjes.

→ Mobiliteitsbonus (€ 7000) voor het aannemen van een werkloze 50-plusser

→ Korting op de WAO- en WW-premie voor het aannemen van een werkloze 50-plusser

→ No-riskpolis, schadeloosstelling als de werknemer (59+) ziek wordt

→ Loonkostensubsidie van sociale dienst bij aannemen van langdurig werkloze

→ Vrijstelling van premies werknemersverzekeringen, 'premievrijstelling marginale arbeid' genoemd, voor het tijdelijk in dienst nemen van een werkloze minder dan zes weken

→ Proefplaatsing, UWV betaalt twee maanden het loon van een werkloze

Bron: www.re-integratiepartner.nl

45 plussers hebben speciale kwaliteiten

Trefwoorden

→ natuurlijk gezag
→ betrouwbaar
→ levenservaring
→ mensenkennis
→ relativeringsvermogen
→ stabiliteit
→ rustgevend
→ werkervaring
→ vakkennis
→ netwerk
→ stabiele privé-situatie
→ geen baby's op komst

45-plussers leveren geld op

Trefwoorden

→ snel ingewerkt
→ hard werken
→ minder vaak afwezig dan jongeren

45-plussers passen in uw ondernemersvisie

Trefwoorden

→ evenwichtig samengesteld team
→ voeling met 45-plus klanten
→ Maatschappelijk Verantwoord Ondernemen, je bent toch zelf ook 45-plus?

45-plussers hebben de juiste mentaliteit

Trefwoorden

→ loyaal
→ geen jobhoppers
→ zelfkennis
→ realistisch over eigen mogelijkheden
→ minder gericht op eigenbelang en meer op organisatiebelang
→ voelen zich verantwoordelijk
→ oog voor kwaliteit
→ degelijk arbeidsethos
→ hoge verzuimdrempel

45-plussers zijn goed voor het team

Trefwoorden

→ ervaringen van 45-plussers stimuleren anderen om aan hun employability te werken
→ geen bedreiging voor ambitieuze jonkies

45-plussers maken instanties blij

CWI, UWV en gemeenten zijn blij als u langdurig werklozen aanneemt. Ze helpen met begeleiding, assessment en training. En wie weet gaan er dan ook andere deuren open. Denk aan aanbestedingen.

45-plussers die werkloos zijn bieden extra voordelen

Trefwoorden

→ per direct beschikbaar
→ dankbaar voor de geboden kans
→ vaak overgekwalificeerd
→ vaak zeer goede werknemers die door reorganiatie werkloos zijn

Knip uit, lamineer en neem mee als spiekbrief naar feestjes en partijen. Laat in elk gesprek minstens één argument vallen. Voorkom drammen, dat werkt averechts.

Bron: www.argumentenfabriek.nl
Beeld: shutterstock

'Je hebt nergens garanties voor'

Elf jaar heb ik gewerkt in de Stadsgehoorzaal Leiden. Daarvoor heb ik de Hotelschool gedaan en gewerkt als food & beverage manager bij Hotel Des Indes en als cost controller bij de Amsterdam Arena.

Voor de Stadsgehoorzaal heb ik de laatste drie jaar de verbouwing en uitbreiding begeleid. Daarna fuseerden we met de schouwburg en barstte de crisis los. Subsidies gingen omlaag, bezoekersaantallen ook. Ineens was ik boventallig. In november 2012 was het einde oefening.

Dat hakte er ontzettend in. De eerste paar maanden zat ik echt in een flink rouwproces. Ik voelde me aan de kant gezet. Ik snapte de logica wel, maar toch doet het pijn. Mijn grootste angst was dat ik voor altijd aan de kant zou blijven staan en niet goed voor mijn gezin zou kunnen zorgen. Daar had ik slapeloze nachten van.

Intussen zie je de arbeidsmarkt in elkaar storten. Je moet solliciteren, maar de moed zakt je in de schoenen. Je weet: er zijn 600 duizend werklozen en 100 duizend vacatures. Een half miljoen mensen vindt dus geen baan.

Je moet dus iets anders doen. Iets nieuws. Ik dacht aan hoe Nederland na de oorlog is opgebouwd. Door allemaal een steentje bij te dragen. En plotseling had ik een idee. Er zijn een half miljoen mensen beschikbaar die van alles kunnen. En het mkb zit in zwaar weer en heeft geen tijd voor innovatie. Maar innovatie levert banen op. Dus loont het de moeite om werkzoekenden aan het mkb te koppelen.

Als je werkloos bent en je wil je tijd en kennis aan een bedrijf geven, dan word je gekort op je uitkering. Die regels moeten opzij worden gezet. Ik heb een brief aan verschillende Kamerfracties gestuurd, en snel was er een motie aangenomen om dit op te lossen. Het project heet Tussenbaan. Ik ben met een proef bezig, een briljant idee voor een bedrijf dat het heel moeilijk heeft. Ik zoek mensen die het bedrijf kunnen helpen om die vernieuwing te realiseren.

Tegelijk heb ik een nieuwe baan gevonden. Een lot uit de loterij! Sinds 1 juli 2013 ben ik facilitair manager bij Museon in Den Haag. Ik heb heel wat sollicitaties achter de rug, en steeds zat ik in een stapel met 200 anderen. Dat is niet goed voor je. Je denken verweekt een beetje als je geen dagelijkse doelen hebt. Ik weet zeker dat ik door het idee van Tussenbaan weer snel in de werkmodus zat. Dat heeft me bij het solliciteren erg geholpen.

Door dat ontslag kijk ik anders naar de toekomst. Ik besef heel goed dat je nergens garanties voor hebt. Je weet nooit hoe het gaat met de economie. Het is zo fragiel allemaal.'
(DS)

Fotografie: Puurportret.nl

Edwin van der Hout
(49 jaar)

Toen je 7 was...

... deed je van nature waar je goed in was, zeggen vrijwel alle coaches en adviseurs. Ben je kwijt waar je hart ligt? Wil je weten wat je echt leuk en belangrijk vindt? Ga dan terug naar die tijd.

Jaren '60
Een meisje onderzoekt
haar pop met een stethoscoop
Nationaal Archief/Spaarnestad
Photo/Fotograaf onbekend

Rond 1970
Jongens maken een boomhut
Nationaal Archief/Spaarnestad
Photo/Fotograaf onbekend

Jaren '70
Jongen met klei
Nationaal Archief/
Spaarnestad Photo/
Hille Kleinstra

Jaren '70
Zwemmend kind
in het zwembad
Nationaal Archief/Spaarnestad
Photo/Harry Pot

Jaren '70
Meisje op klimrek
Amsterdam
Taeke Henstra/MAI

Jaren '70
Jongens op klimrek,
jaren zeventig
Taeke Henstra/MAI

1976
Bus met schoolreis
Taeke Henstra/MAI

Uit je comfort zone

Het netwerkersboek is een handige survivalgids voor netwerkbijeenkomsten. Het boek helpt je vooral om je zenuwen te bedwingen.

Is netwerken eng? Ja. Goed netwerken haalt je uit je comfort zone, en dat is per definitie eng. Denk dus niet dat jij de enige bent die er tegenop ziet, dat doet iedereen. Zelfs de auteurs van het Netwerkersboek, Peter Klink en Liesbeth Pak. Geruststellend vertellen ze in dit boek over hun zenuwen, en de momenten waarop ze door de grond hadden willen zakken.

Klink en Pak zijn in 2011 gestart met EHBOdoos.nl, een bedrijf dat verbanddozen verkoopt en onderhoudt. Hun klandizie is in theorie elke bedrijf, en dus ligt het voor de hand dat ze veel tijd steken in netwerken. Daar zijn ze handig in, zo is gebleken. In 2012 werden ze uitgeroepen tot Netwerkers van het jaar door de Utrechtse netwerkclub Open Coffee Domstad. Dat bracht hen op het idee om hun ervaringen en adviezen in een boekje te bundelen.

In Het Netwerkersboek geven de auteurs praktische en originele tips om het beste resultaat uit netwerkbijeenkomsten te halen.

Het boek gaat vooral over netwerken op speciaal daarvoor georganiseerde bijeenkomsten, zoals die van Open Coffee, Club van 25 en allerhande businessclubs. Overhandig je visitekaartje altijd met aandacht, tipt Peter Klink. 'Overdrijf gerust. Zelf gebruik ik twee handen en bied het kaartje met een lichte knik van het hoofd aan terwijl ik de ontvanger vriendelijk aankijk.'

Wat doe je als je weer op je werkplek zit met de verzamelde visitekaartjes? Zorg dat je nog dezelfde dag alle toezeggingen en afspraken vastlegt er ermee aan de slag gaat. (DS)

Het Netwerkersboek Makkelijker en efficienter netwerken met meer en succesvoller resultaat

Peter Klink en Liesbeth Pak
136 blz, € 24,95
ISBN 9789081877503
www.netwerkersboek.nl

Voor jezelf beginnen

Daar sta je dan op de startersdag van de Kamer van Koophandel. Temidden van een klokkenmaker, een HR-adviseur en een boekhouder. Een op de drie heeft na drie jaar nog een bedrijf, hoor je daar. Is dit avontuur wel iets voor jou? Lees de tips en ervaringen van anderen, en hak de knoop door.

Durven, aanpakken en doorzetten

Kan iedereen zzp-er worden? Nee. Maar de rompslomp valt reuze mee en acquireren doe je gewoon op je eigen manier.

N adat ze in 2009 voor de tweede keer in vier jaar tijd ontslagen was, wist vormgeefster Evarien Tuitert (47) het zeker: ze ging zzp-er worden, zelfstandige zonder personeel. 'Ik zag mezelf op deze leeftijd geen vaste baan meer krijgen.' Maar ja, die onzekerheid. 'Ik ben alleenstaand moeder en dus kostwinner. Zou ik dat financieel wel klaarspelen?' Toch waagde ze de sprong. 'Toen ik mijn ontslag kreeg dacht ik: dit is de kans om het uit te proberen.',

Tuitert deed een traject bij het UWV, waarbij je kunt starten als ondernemer met behoud van een uitkering. Ze ontving een ruime ontslagvergoeding en haar baas betaalde de kosten voor een eigen website. Hij gaf tevens toestemming een aantal klanten mee te nemen naar haar eigen bedrijf. 'Dat zorgde voor een goede start.'

Toch had ze na een half jaar niet voldoende opdrachtgevers om te kunnen bestaan zonder een aanvullende uitkering. 'Ik mocht toen van het UWV mijn uitkering iets langer door laten lopen.'

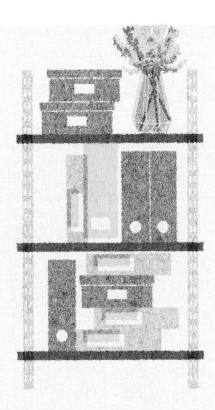

Die situatie duurde twee maanden: februari en maart. Daarna ging het beter, zij het met horten en stoten. 'Ik heb weleens kleine bedragen van familie geleend.' Nu - vier jaar later - loopt het lekker. En maakt ze zich nauwelijks meer zorgen. 'Ik weet nu hoe een jaar verloopt. Dat februari-maart bij mij een slappe periode is. Daar moet ik even doorheen. Daarna komt het wel weer goed.'

Het aantal zzp'ers is flink gestegen de afgelopen jaren: van 6 procent van de totale beroepsbevolking (bijna 400.000) in de jaren negentig tot 10,2 procent (760.000) in 2012. Toch zitten we in Nederland nog steeds onder het Europees gemiddelde. 'We zijn niet zo heel ondernemend', zegt Fabian Dekker, arbeidssocioloog bij het Verwey-Jonker Instituut. 'Zeker niet de 45-plusser. Die heeft veel zekerheden te verliezen.' Dat beeld wordt bevestigd door een tocht langs verschillende internetfora: aardig wat mensen spelen met de gedachte om zzp'er te worden, maar durven het niet aan. Te veel regeltjes, een niet gegarandeerd inkomen, te weinig geld om te investeren, de crisis: mensen krabben zich wel drie keer achter de oren voordat ze aan het zelfstandig ondernemerschap beginnen.

Angst is een slechte raadgever, weet Gert-Jan Jansen (45), al meer dan twintig jaar zelfstandig dagvoorzitter en gespreksleider plus voorzitter van Zolo, een netwerk van ZZP-ers in Utrecht.

Hij ziet het bij alle zzp'ers van Zolo: De nieuwkomers hadden stuk voor stuk de bibbers voordat ze aan het zzp-schap begonnen. Toch redden ze het uiteindelijk wel. Als je maar lef hebt, buiten de gebaande paden durft te gaan, kijkt waar mogelijkheden zijn en vooral van aanpakken weet. Neem nu de administratieve lasten: bij aanvang een btw-nummer aanvragen, je inschrijven bij de Kamer van Koophandel en als je dan op weg bent je administratie bijhouden, facturen maken, btw-aangifte en aangifte inkomstenbelasting doen, je bent er maandelijks zeker een dag zoet mee.

Een deel van de zzp'ers haakt vanwege die rompslomp af. Zowel Jansen als Tuitert schudden daarover hun hoofd. Jansen: 'Wat een onzin. Een btw-nummer aanvragen, inschrijven bij de KvK. Dat is twee uur werk.' Belastingaangiftes kun je uitbesteden aan speciale boekhouders. Die kosten tussen de 300

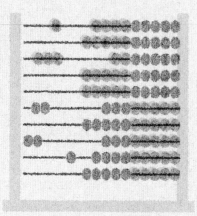

Acquireren is de schrik van veel beginnende ondernemers.

en 1000 euro per jaar, maar die uitgaven zijn aftrekbaar en het spaart je een hoop gedoe. Tuitert: 'Bovendien weet mijn boekhouder precies op welke kortingen ik recht heb.' De btw-aangifte doet Tuitert zelf. 'Dat is echt *peanuts*. En je weet dan meteen weer hoe je ervoor staat.'

Ondernemen is een werkwoord. En dus moet je bovenal dóen, zegt Jansen. 'Een coach kan zeker helpen. Evenals een cursus marketing. Maar gebruik dat soort dingen niet als uitstel om de boer op te gaan met je producten en diensten.' Jansen geeft workshops aan star-

tende ondernemers. 'Ik vraag na elk gesprek: En, aan wie ga je dit verkopen? Dat vinden ze irritant, want dan moeten ze aan de bak.'

En dat betekent acquireren, de schrik van veel beginnende ondernemers. Vooral 'koude' acquisitie - bedrijven bellen die je niet kent en je diensten aanbieden – is vaak een *pain in the ass*. Tuitert deed het ook. 'Ik dacht dat het erbij hoorde. Toen het een weekje rustig was, ploos ik websites na van bedrijven die een vormgever konden gebruiken. En dan belde ik ze - met kloppend hart – in de hoop dat ze me uit zouden nodigen.' Verschrikkelijk vond ze het. 'Er kwam ook niets uit.'

In het eerste jaar ging Tuitert ook naar netwerkborrels waar ze niemand kende. 'Ik vond het heel lastig om er tussen te stappen en mezelf te promoten. Ook daar is nooit wat uitgekomen.' Gert-Jan Jansen heeft nooit aan koude acquisitie gedaan. 'Ik geloof ook niet dat het werkt. Wat wel werkt is netwerken opbouwen: van andere zzp'ers, van mensen die je leuk vindt, van mensen met dezelfde hobby's.'

En dat gelooft ook Tuitert. Zowel zij als Jansen zijn actief in vrijwilligersorganisaties. Jansen: 'Dat is voor mij de fijnste manier om te acquireren. Ik doe iets voor de maatschappij en tegelijkertijd bouw ik een netwerk op, waar ooit een

Wat is mijn tarief?

Best een lastige keuze als je start met je eigen bedrijf: hoeveel kan ik vragen? Bereken van tevoren altijd vrij nauwkeurig hoeveel kosten je hebt. Zet daar dan een winstmarge bovenop, dat bedrag moet je zeker binnenhalen. Kijk op welk uurtarief je uitkomt bij een x aantal uren werken per week. Kijk dan wat collega's in dezelfde sector vragen. Een goede site om dat te checken is de zelfstandigen check op loonwijzer.nl. Ga daar niet te veel boven zitten, zeker niet als je begint in een voor jou totaal nieuwe sector. Ga er ook niet te veel onder zitten. Geld drukt jouw waarde uit. Wees flexibel. Is er een opdrachtgever die je graag wilt behouden, kijk dan wat voor hem aantrekkelijk is. Vraag bijvoorbeeld een lumpsum: een totaalbedrag waarbij je een x bedrag voor een x aantal uren berekent. Alles wat daar overheen komt neem je voor eigen rekening. En doe af en toe een klusje voor niets of minder geld. Goodwill kweken door geven en nemen past bij ondernemerschap.

Vanuit WW naar ZZP?

Via het UWV kun je met behoud van een uitkering een bedrijf starten. Als je toestemming krijgt, op basis van je plan, kun je starten voor een periode van 26 weken. Je krijgt dan wel 29 procent minder uitkering. Tijdens deze startperiode hoef je niet te solliciteren. Na die 26 weken moet je kiezen: doorgaan met je bedrijf zonder uitkering of je bedrijf beëindigen. In het laatste geval krijg je weer een volledige uitkering.

Krediet

Wie grootse plannen heeft, moet investeren. In goede tijden is dat niet zo moeilijk. Je stapt naar de bank, die beoordeelt je plan, stelt een paar goede vragen en helpt je op weg met een lening. In de huidige crisistijd zullen de bankiers vaak reageren met: in jouw branche of jouw product kunnen we helaas momenteel niet investeren. Dan is er nog Qredits, een samenwerkingsverband van diverse banken. Bij Qredits kun je maximaal 50 duizend euro lenen. Je moet uiteraard wel een goed ondernemingsplan én een helder financieel plan opsturen. maar daar kun je hulp bij krijgen. Qredits geeft ook advies en regelt coaching voor de startende ondernemer. De hele aanvraagprocedure zal je sowieso helpen om je plan scherper voor ogen te krijgen, of je nu een lening krijgt of niet. **www.qredits.nl**

'Denk niet vanuit jezelf, maar vanuit een vraag in de markt.'

Onder andermans vleugels

Wil je ondernemen maar ben je dat niet gewend? Je kunt ook starten onder andermans vleugels. Daar bestaan een paar initiatieven voor, maar ze zijn lastig te vinden. Een voorbeeld is stichting De Derde Weg: **www.3eweg. nl**, die werkzoekende 50-plussers helpt om ondernemer te worden. Hier ligt nog veel terrein braak. Zoals hoogleraar Ton Wilthagen zegt: 'Wat kan jij, wat kan ik? We maken een bedrijfsplan en stappen naar de gemeente om te vragen of ze ons een tijdje willen ondersteunen met uitkeringsgeld. Dat kun je met een complete weggesaneerde afdeling doen. Of met andere mensen uit je netwerk. Vaak vinden mensen het heel leuk om daarover na te denken. We geven in Nederland bijna 11 miljard euro uit aan uitkeringen. Dat is heel veel potentiële subsidie.'

10 feiten

1 In 2000 was 6,4 procent van de werkzame beroepsbevolking zzp'er. In 2012 was dat ruim 10 procent.

2 De meeste zzp'ers starten vanuit een baan in loondienst.

3 Circa 20 procent van de startende zzp'ers van 45 jaar en ouder heeft een uitkering of geen inkomen.

4 Van alle personen die vanuit een uitkering als zzp'er startten, is vijf tot zeven jaar later nog 36 procent actief als zzp'er.

5 Voor drie op de vijf zzp'ers is het zelfstandig ondernemerschap vooral een 'tussenstation' op de arbeidsmarkt.

6 De meeste zzp'ers in Nederland bevinden zich in de leeftijdscategorie van 35 tot en met 54 jaar.

7 Zzp'ers zijn gemiddeld ouder dan werknemers (44 jaar versus 40 jaar).

8 In de groep werkenden vanaf 60 jaar verdrievoudigt het aantal zzp'ers zich.

9 De omvangrijkste zzp-sectoren zijn de dienstverlening, handel en bouwnijverheid.

10 Gemiddeld werken zzp'ers 42 uur per week.

Bron En toen waren er ZZP'ers. Fabian Dekker (redactie). Boom lemma Uitgevers, Den Haag 2013. ISBN 978-90-5931-950-9

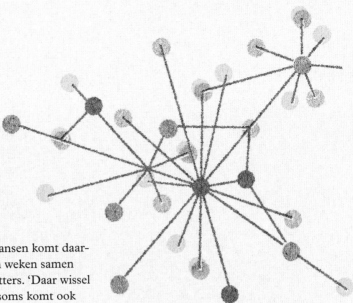

klus uit kan komen.' Jansen komt daarnaast eens in de zeven weken samen met andere dagvoorzitters. 'Daar wissel ik ervaringen uit. En soms komt ook daar een klus uit. Omdat de ander bijvoorbeeld te veel werk heeft en wat aan jou geeft.'

Tuitert gelooft vooral in kwaliteit - gewoon goede producten maken - en via-via contacten. 'Dan vraagt iemand: 'Goh wie heeft jouw website ontworpen. Ja ik zelf.'' Dan bied ik aan om voor die persoon ook een site te ontwerpen. En zo bazuinen mijn producten zich rond.'

Want uiteindelijk gaat het ook – en vooral – om gewone menselijke relaties. De 'gunfactor' noemt Tuitert dat. 'Mensen moeten je aardig vinden, je wat gunnen. Als jouw kop of je persoonlijkheid hen niet aanstaat, dan krijg je die klant vaak niet.'

Doe je niet groter voor dan je bent, geeft Jansen als advies. 'Somige starters schrijven op hun website: *we* doen dit en *we* zijn dat. Maar waarom zou je je voordoen als een grotere organisatie? Laat zien wat je kunt en waar je in gelooft. En blijf daarbij dicht bij jezelf', adviseert Jansen.

Dat betekent niet dat je je *al* te bescheiden moet opstellen. 'Je moet jezelf wel durven neerzetten. Je moet iets te melden hebben, ergens voor staan.' Dat bepaalt een deel van je succes. 'Zzp'ers waar het minder goed mee gaat, zijn vaak mensen die onzeker zijn: wat wil ik? Wat kan ik? Zzp'ers waar het goed mee gaat hebben dat meer op een rij.'

Blijft de grootste der angsten over: ga ik het financieel bolwerken? Arbeidssocioloog Fabian Dekker hamert op realistisch denken. 'Denk niet vanuit jezelf, maar vanuit de vraag van potentiele opdrachtgevers. Het is leuk als je je hobby kunt verzilveren, maar dat gaat lang niet altijd samen met de vraag van de markt. Neem fotografen. Is daar nog wel behoefte aan? We hebben er al zoveel in Nederland. Bovendien: wat kun je er nu mee verdienen?' Ook Jansen meent dat je als starter goed om je heen moet kijken naar de niches in de markt. Soms liggen die gewoon voor je neus. 'Twee kennissen van mij specialiseerden zich in verliescommunicatie. Ze richten zich op de achterblijvers in een bedrijf bij reorganisaties. Die vrouwen werken zich een slag in de rondte.'

Maar zelfs als je wel een niche vindt, is het geenszins gegarandeerd dat je al-

Verzekeren

Moet je je verzekeren tegen arbeidsongeschiktheid en sparen voor een pensioen? Dat hangt helemaal af van je karakter en bestedingspatroon. De ene zzp'er kan goed sparen en zweert bij een buffer op de bank. De ander wil liever de zekerheid van een arbeidsongeschikheidsverzekering, al kost die een paar honderd euro per maand. Hoe dan ook: overweeg om je risico's te verzekeren. Een arbeidsongeschiktheidsverzekering is prijzig, maar je kunt er wel wat aan hebben, zeker als je niet echt een 'spaarder' bent. Er zijn bovendien goedkope manieren om je in te dekken tegen arbeidsongeschiktheid. Bijvoorbeeld via broodfondsen. Voor pensioenopbouw geldt hetzelfde. Veel zzp'ers bouwen geen pensioen op. (Niet voor niks wordt zzp soms uitgelegd als: zelfstandige zonder pensioen) maar het is raadzaam om daar toch over na te denken en eens te kijken wat de mogelijkheden zijn.

'Je moet niet bang zijn voor mislukkingen.'

Tips

Tip 1 Onderzoek of je beschikt over ondernemerscompetenties. De Kamer van Koophandel heeft bijvoorbeeld een online ondernemerstest.

Tip 2 Denk na over grote opdrachten en ziekte. Zorg dat je mensen om je heen hebt die jou dan kunnen vervangen: een soort onderaannemerschap.

Tip 3 Wil je niet alleen starten? Ga dan brainstormen met een groepje mensen die je niet zo goed kent, maar die wel in dezelfde sector willen werken.

Tip 4 Huur een bedrijfsruimte met andere al langer werkende zzp'ers. Daardoor kun je mogelijk opdrachten toegespeeld krijgen.

Tip 5 Zoek een acquisitievorm die bij je past: koud of warm.

Tip 6 Bang voor een gebrek aan zelfdiscipline? Spreek elke ochtend om 9 uur af, wordt lid van zzp-clubs om samen dingen aan te pakken, creëer een zzp-plek met gelijkgestemden.

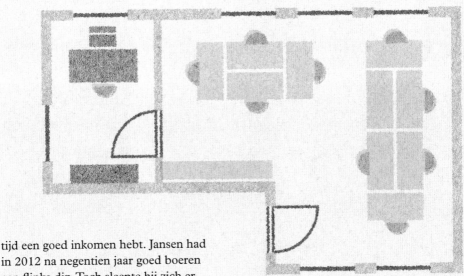

tijd een goed inkomen hebt. Jansen had in 2012 na negentien jaar goed boeren een flinke dip. Toch sleepte hij zich er doorheen. 'Ik heb wat opdrachtgevers gebeld en gevraagd: "Ik heb even niet zoveel werk, heb je een betaald klusje voor me? Dat was geen probleem. Ze zeiden: "Destijds was jij er voor ons. Nu zijn we er voor jou".'

En hij heeft geleend. Jawel. 'Ik heb niet zo briljant veel geld op de bank dat ik daar meer dan zes maanden op kan teren.' Lenen is niet erg, meent Jansen. 'Kijk naar het mkb, daar gebeurt het ook regelmatig.' Met het zzp-schap gaat het evenzo: soms gaat het goed, soms minder goed. 'Mijn moeder heeft een goed pensioen. Gaat het even niet, dan klop ik bij haar aan.' Dat is niets om je over te schamen. 'Ik betaal het altijd weer terug.'

De dip dwong Jansen wel om naar wat anders te kijken. 'Als je voor een baas werkt, kun je gemakkelijk een ander de schuld geven. Maar dat kan niet als zzp'er. Dan weet je dat er geld in het laatje moet. Dus kom, hup. Naar buiten, met andere zzp'ers een bakkie doen. En dan ga je weer kansen zien.

Zo ontstond laatst het idee voor een nieuw 'product': project werqers. Het idee is eenvoudig: bedrijven verzorgen in hun gebouw een werkplek voor 15 tot 20 zzp'ers met verschillende specialisaties: grafische vormgevers, communicatiemensen, een projectleider. Het bedrijf bepaalt welke zzp'ers er komen. Bij aanvang maken ze kennis met de vaste medewerkers, ze weten waar de koffiemachine staat, hoe de communicatiemanager heet. De zzp'ers kunnen op de deze plek voor zichzelf werken. En zodra het bedrijf denkt: we hebben iemand nodig, hoeft het alleen maar op de 'zzp-vloer' te vragen: jongens wie helpt een paar uur? De zzp'er betaalt Jansen en partners naderhand voor de bemiddeling.

Het project staat nog in de steigers. En het kan een fiasco worden. Maar ook dat hoort bij het ondernemerschap. 'Een echte ondernemer heeft een plaat voor zijn kop', aldus Jansen. 'Je moet niet bang zijn voor tegenvallers of mislukkingen. Natuurlijk ga je ooit belazerd worden, dat zit erin. Maar voor hetzelfde geld loopt alles gesmeerd.' Evarien Tuitert heeft hij in ieder geval mee. 'Mij lijkt dat nieuwe project wel wat.' (HK)

Samenwerken:
terug naar de gilden

'In de middeleeuwen zag je dat door samenwerking weideland behouden kon blijven voor de gemeenschap', vertelt Tine de Moor. 'Parallel aan de ontwikkelingen op het platteland, werden in de steden gilden gevormd waar meesters van hetzelfde ambacht door gezamenlijke aankoop van grondstoffen economische voordelen konden behalen, maar evengoed streefden naar verzekering voor periodes van ziekte en andere risico's. De zzp'ers van tegenwoordig staan voor een zelfde probleem. Het is in de vrije markt vaak niet haalbaar om als zelfstandige te werken en een goede verzekering te hebben tegen arbeidsongevallen. Er is geen enkele partij die zo'n verzekering tegen een haalbare prijs aanbiedt. Dus doen de zzp'ers dat samen in een zogenaamd brood-

Het ik-tijdperk is voorbij. Samen werken en samen delen mag weer. Dat heeft grote gevolgen voor de zzp'er. Op allerlei terreinen vormen zich collectieven. Wie wil instappen, is welkom.

Het broodfonds is bijvoorbeeld helemaal hip. Maar wie denkt dat collectieven een nieuwigheid zijn, zou eens kennis moeten nemen van het jongste wetenschappelijk onderzoek van prof. dr. Tine de Moor. In Utrecht is zij al jaren bezig met collectieven in het verleden, zoals de gilden. Die vormen een model voor de collectieven van vandaag.

fonds, waarvan er steeds meer worden opgericht.'

De Moor doceert onder meer economische en sociale geschiedenis en bewijst daarmee en passant dat de studie geschiedenis niet maatschappelijk nutteloos hoeft te zijn. Integendeel, vrijwel dagelijks wordt ze benaderd door de pers of mensen met plannen voor collectieven. Het historische voorbeeld geeft inzicht in de manier waarop zulke samenwerkingsverbanden ook vandaag nog werken.

'Velen van die burgercollectieven komen zelf al uit bij historische voorbeelden', aldus de hoogleraar. 'Broodfondsen noemen zich tegenwoordig soms zelfs zzp-gilden. Dat vind ik prachtig, want op die manier halen ze er een historische legitimiteit uit. De gilden zijn de *trust builders* geweest in het verleden. Er wordt vaak gezegd dat gilden monopolies waren, maar dat viel in de praktijk reuze mee. De gildebroeders hadden nog steeds onafhankelijke workshops. Er wordt in de literatuur op twee manieren naar gilden gekeken. De ene stroming zegt dat ze nadelig zijn voor de economie en de innovatie, maar de andere ziet gilden als een mogelijk model in een markt die op wankele benen staat.'

De meeste historisch-traditionele voorbeelden van coöperaties zijn te vinden in de verzekeringen. Dat komt volgens De Moor door het verdwijnen van de gilden: 'Die hadden namelijk een verzekeringscomponent in zich, die eind achttiende eeuw met het van overheidswege opheffen van gilden wegviel. De nieuwe coöperaties hadden vaak namen die goed hun bedoelingen verwoordden. In 1877 werd in Zeeland bijvoorbeeld

Nieuwe vormen

Coöperatieve samenwerkingsvormen zijn zo oud als de weg naar Kralingen. Vooral medisch specialisten, advocaten en andere hoog opgeleiden zijn goed in het vormen van maatschappen en dergelijke. Ook in de land- en tuinbouw wemelt het van de coöperaties. Een paar tips om nieuwe vormen te zoeken.

Veel informatie over coöperaties: **www.jaarvandecooperatie.nl.**

Informatie uit het onderzoek van Tine de Moor naar samenwerking in verleden en heden is te vinden op: **www.collective-action.info**

Specialisten helpen bij het vormen van een ondernemerscoöperatie: **www.ondernemerscooperatie.nl**

Laat je inspireren door kennis en kunde te delen zoals bij Open Coop Amsterdam Noord: **www.thebeach.nu/2217/nl/ open-coop-amsterdam-noord**

Burgers en boeren slaan de handen ineen, zoals bij de Pergola-associatie: **www.oosterwaarde.nl/pergola.htm**

Voorbeelden van broodfondsen: **www.broodfonds.nl**

Buurtbewoners wekken samen energie op: **www.ademhouten.nl**

Het hippe broodfonds is eigenlijk iets heel ouds.

een coöperatie opgericht onder de naam Welbegrepen Eigenbelang. Dat is een goede naam, want je hebt er zelf ook belang bij om bij te dragen aan het belang van de groep waar je toe behoort. Waarom werken zzp'ers samen? Niet alleen omdat ze het zo gezellig vinden. Ze hebben er een eigenbelang bij om samen te werken en als dat eigenbelang een meerwaarde kan bieden voor het gemeenschappelijke belang en er geen ander alternatief is, waarom zou je het dan laten?'

Tot de achttiende eeuw waren dit soort instituties belangrijk, maar onder druk van de opkomende natiestaat zijn ze verdwenen. Aan het eind van de negentiende en begin twintigste eeuw was er nog een opflakkering. Dit is ook de periode waarin onder andere de Rabobank werd gevormd. Daarna kwam de verzorgingsstaat. De Moor: 'Maar in de laatste dertig jaar zien we dat de privatisering aan die verzorgingsstaat een eind dreigt te maken. Veel voorzieningen die in de verzorgingsstaat als een gegeven werden beschouwd, komen nu in de verdrukking.'

Samen proberen mensen nu oplossingen te vinden, in coöperatieve bedrijven, verzekeringen, zorg, energie en allerlei andere projecten. De deelnemers in zulke collectieven zijn niet uit op winst,

maar op zekerheid. 'Dat is de bottom line van het verhaal, ze werken samen om iets haalbaar te maken', zegt De Moor. 'Het gaat erom dat ze iets nodig hebben. Iets waartoe de overheid en de markt niet in staat zijn of waarvoor die zich niet langer verantwoordelijk voelen. Ik spreek daarom van de *homo cooperans* in tegenstelling tot de bekende *homo economicus*. Iedereen is er intussen wel achter dat die niet echt bestaat.'

Belangrijk is wel dat binnen zo'n groep het eigenbelang niet de overhand neemt, want dan komt het groepsbelang in gevaar. De Moor: 'Bij broodfondsen zie je dat er maar weinig misbruik wordt gemaakt van de mogelijkheden. Het zijn mensen die vaak in dezelfde sector werken en regelmatig bij elkaar komen. Ons kent ons. Een heel slim aspect van het broodfonds is dat er maximaal vijftig deelnemers mogen meedoen. Zo'n groep individuen kun je makkelijk allemaal kennen. Als iemand gaat *free riden*, dan weet al snel de hele groep dat.'

De samenwerkingsverbanden in heden en verleden worden door de wetenschappers Instituties voor Collectieve Actie (ICA's) genoemd. In het onderzoek wordt op het ogenblik vooral gekeken naar de vorm die deze instituties aannemen en wat de belemmeringen zijn waar ze tegenaan lopen. De Moor: 'Volgend jaar willen we een verdiepingsslag gaan maken, waarbij we gaan kijken naar de individuele incentives. Is het inderdaad een winststreven of is het verlangen naar zekerheid groter? Ik denk dat laatste, want zeker een 45-plusser zal minder snel geneigd zijn om te denken dat het allemaal wel weer goed komt als hij een keer de mist ingaat.' (FH)

Oprichting broodfonds 'piece of cake'

'Het bleek uiteindelijk een *piece of cake* om een broodfonds van de grond te tillen', zegt de Schiedamse journalist Ted Konings. 'Op mijn eerste oproep kwamen niet zo veel mensen af, maar toen er eenmaal publiciteit was via broodfonds.nl kwamen er meer.'

Wel zat er een hoop organisatorisch werk aan vast, maar Konings heeft inmiddels een groep van twintig deelnemers die nog kan uitgroeien tot maximaal vijftig. Ieder legt maandelijks een bedrag in van 45, 67,50 of 90 euro. Wordt iemand ziek, dan krijgt deze na een afgesproken termijn een uitkering van respectievelijk 1.000, 1.500 of 2000 euro per maand, voor maximaal twee jaar, afhankelijk van de inleg. Ter vergelijking, een reguliere verzekering tegen arbeidsongeschiktheid kost al snel tussen 350 en 550 euro per maand.

Dit bedrag is een schenking van de andere leden van het broodfonds. Konings: 'Iedere deelnemer van een Broodfondsgroep opent een eigen Broodfondsrekening. Op deze rekening wordt de maandelijkse bijdrage gestort. Wanneer iemands inkomen wegvalt door ziekte of arbeidsongeschiktheid, krijgt hij van de andere deelnemers maandelijks een bedrag geschonken. Vanaf twee weken of een maand na het begin van de ziekte, afhankelijk van wat de groep kiest, wordt er uitgekeerd.'

Konings ziet veel voordelen in een broodfonds: 'Het is een betaalbare verzekering, waarvan de premie ten goede komt aan de deelnemers zonder dat dure organisatoren nodig zijn. Hij dient ook echt om een risico te verzekeren dat reëel is, dus niet een griepje. De inleg blijft je eigendom, dus als er niet wordt uitgekeerd dan hou je het geld in je portemonnee.'

Uit ervaringen van andere broodfondsen weet Konings dat er door de deelnemers meestal weinig wordt geclaimd. 'Een fonds hier in de buurt met vijftig deelnemers heeft in het afgelopen jaar niet meer dan vier zieken gehad en geen enkele daarvan heeft geld geclaimd. Ze hebben zoiets van: ik red me wel.' Voor misbruik is Konings evenmin bang. 'Een broodfonds is een klein zakelijk netwerk en het lijkt me niet zo verstandig als je daarin je goede naam te grabbel gaat gooien.'

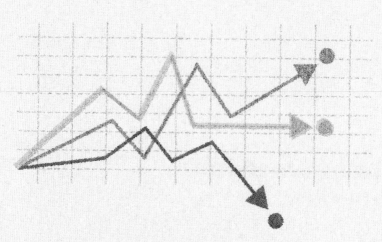

'Niet iedereen is een ondernemer'

Arbeidssocioloog Fabian Dekker onderzoekt zelfstandig ondernemerschap. Met het vakmanschap van 45-plussers zit het wel goed. Maar niet iedereen is een ondernemer.

Waarom groeit het aantal zzp'ers zo hard?

'Dat heeft met het politieke discours en fiscaal beleid te maken. Sinds de jaren tachtig en zeker de laatste jaren wordt het ondernemerschap vanuit de overheid gestimuleerd. Zelfstandig ondernemerschap heeft een positiever imago gekregen.'

Misschien wat te positief. Het lijkt soms alsof iedereen zzp'er kan worden.

'Ja. En dat is niet zo. Het zzp-schap blijkt vooral een tussenstation. Na vijf jaar is slechts 36 procent nog zzp'er. De rest redt het niet. Het grootste percentage gaat terug naar loondienst. Een deel groeit door als zelfstandige met personeel. Maar er is ook een deel dat werkloos raakt. Van alle zzp'ers die uitstromen is 31 procent weer actief in loondienst en heeft ongeveer een kwart een uitkering of geen inkomen. De overstap naar het zzp-schap is dus een kans maar ook een bedreiging.'

Waarom redden zoveel startende ondernemers het niet?

'Dat hangt keer op keer samen met een gebrek aan ondernemerscompetenties. In mijn beleving is een echte ondernemer iemand die een ideale mix heeft tussen vakmanschap en ondernemerscompetenties. Om dat vak-

manschap maak ik me niet zoveel zorgen, zeker als het gaat om mensen die vanuit loondienst starten en zeker ook als het gaat om 45-plussers; die hebben die vakbekwaamheden wel. Anders is het qua ondernemerscompetenties. Maar kun je van iemand van 55 die nog nooit ondernemer is geweest verwachten dat hij goed acquisitie kan plegen of een relevant netwerk paraat heeft?'

Mensen zouden twee keer moeten nadenken voordat ze zelfstandige worden?
'Ik denk het wel. Het zou goed zijn als de overheid ze daar beter op voorbereidt. Met een bewijs van ondernemerschap bijvoorbeeld: een preventieve toets die elk persoon - jong of oud - moet afleggen om te kijken of hij wel beschikt over de noodzakelijke ondernemerscompetenties. Zodat je in ieder geval bewustwording creëert: weet u eigenlijk wat zelfstandig ondernemerschap inhoudt?'

Raadt u het 45-plussers af om zzp'er te worden?
'Absoluut niet. Uit onder-

zoek blijkt dat de 45-plusser het qua overlevingskansen net zo goed doet als de zzp'er in het algemeen. Bovendien heeft meer dan de helft van alle oudere zzp'ers na zeven jaar nog steeds een actieve positie op de arbeidsmarkt. Dat is een stevig argument om het wél te proberen. Want het zzpschap is een optie om niet werkloos te worden of te blijven. Bovendien: wat is het alternatief? En als het wel lukt... ondernemers zijn vaak gezonder en gelukkiger. Ook dat blijkt uit onderzoek.' (HK)

'Ondernemers zijn vaak gezonder en gelukkiger.'

'Klussen, halve banen en stukjes uitkering'

Tot de lente van 2010 was er geen wolkje aan de lucht en dacht ik helemaal niet na over mijn carrière. Ik had een vaste baan als trainer in de zorg. En toen sloeg de crisis toe. Ik herinner me nog goed de paniek en de angst die ik voelde toen ik werd ontslagen.

Binnen een maand had ik werk als loopbaancoach, met een jaarcontract. Dat werd daarna met een jaar verlengd, maar halverwege het tweede jaar hoorde ik dat het niet opnieuw verlengd zou worden.

Dezelfde angst kwam weer terug. Waar was ik bang voor? Dat heb ik me afgevraagd. Eigenlijk niet zo voor het verlies aan inkomen. De angst om nergens meer bij te horen, dáár had ik last van. Het is voor mij belangrijk om bij een of meer clubs te horen.

Ik ging weer solliciteren, maar intussen ontdekte ik dat ik ook interessante gesprekken kan voeren en leuke dingen kan doen zonder dat die direct om een baan draaien. Ik las laatst bijvoorbeeld over een promotieonderzoek dat me interesseerde, en ik heb de onderzoeker geïnterviewd voor een vakblad.

Het plezier in dat soort projectjes is gaandeweg gegroeid. Bijvoorbeeld doordat ik zag dat mensen bereid bleken me te helpen. Iemand vroeg haar directeur bijvoorbeeld of die een keer koffie met me wilde drinken en dat leidde tot een tijdelijke baan.

Momenteel heb ik twee aanstellingen, allebei tijdelijk, bij twee hogescholen. Ik doe tussendoor kleinere klusjes. Ik heb ontdekt dat de arbeidsmarkt veranderd is, ook als de crisis voorbij is. Ik moet aanvaarden dat mijn werkzame leven zal bestaan uit een patchwork van klussen, tijdelijke aanstellingen en stukjes uitkering.

De gedachte dat ik nooit meer een vaste baan zal hebben is inmiddels niet meer afschrikwekkend. Ik heb er lol in dat ik verschillende dingen doe. En als er maar voldoende betaalde klussen bij zijn, dan zie ik me dat wel heel lang blijven doen. Ik sla een baan trouwens niet af hoor, laatst heb ik nog gesolliciteerd.

Eigenlijk heeft dat ontslag geleid tot een hernieuwde kennismaking met mezelf. Ik ben meer bewuster en met plezier aan het werk. Ik heb altijd al mijn netwerk ontwikkeld en onderhouden, en sinds ik werd ontslagen heb ik steeds mensen laten weten dat ik op zoek ben. Ook ben ik nog intensiever en bewuster gebruik gaan maken van social media. Ik probeer me op bepaalde onderwerpen te profileren en te laten zien dat ik er lol in heb. Ik twitter bijvoorbeeld over werk en werkloosheid en de arbeidsmarkt. Ik geef mensen tips, in de wetenschap dat er dan ook wel eens iets naar mij toe komt.' (DS)

Ineke van Kruining
(51 jaar)

Werk aan je personal brand

branding en het is de belangrijkste manier om, nu en in de toekomst, goed werk te krijgen en te behouden.

Je personal brand is het beeld dat je naar buiten toe wil uitdragen, de indruk die anderen van je moeten opdoen en de wijze waarop jij vindt dat anderen je zouden moeten zien. Tot op zekere hoogte zijn we allemaal een personal brand, binnen de omgeving waarin we werken. De beste manier om dat te achterhalen is door anderen drie woorden te laten noemen, waarmee ze jou associëren. Wat zeggen die woorden over jou? Zijn ze warm (vriendelijk, collegiaal, betrokken), koud (afstandelijk, kil, rationeel), algemeen (betrouwbaar, serieus, punctueel) of onderscheidend (creatief, ingenieus, eigenzinnig). Door goed na te denken hoe je graag bekend wilt staan in je werkveld, creëer je een soort van handelskenmerk van jezelf: een gevoel of idee dat bij mensen wordt opgeroepen als ze aan jou denken. De vraag is dus: met welke drie woorden moeten anderen jou associëren en wat doe je eraan om dit voor elkaar krijgen?

Er zijn twee veelvoorkomende valkuilen die ertoe leiden dat je personal brand onvoldoende uit de verf komt. De eerste

D e wereld verandert snel en onmiskenbaar. Dat ervaren we allemaal. Meer dan ons lief is gaan globalisering, technocratisering en individualisering ons leven beïnvloeden, daar is echt geen ontkomen aan. Voor veel mensen betekent dit dat de stabiele organisatie als verschaffer van zekerheid en inkomen, verandert in een dynamische marktplaats voor vaklieden en professionals, die met elkaar samenwerken en elkaar beconcurreren. Dat vraagt van ons een wezenlijk andere manier van denken en doen. Je zult jezelf als het ware opnieuw moeten uitvinden en omvormen van een medewerker in loondienst naar een professional, die in grote mate ondernemer van zijn eigen arbeid is en daarvoor een netwerk van diverse werkrelaties onderhoudt. Daarvoor is het noodzakelijk om je zelf en je diensten goed te kunnen verkopen. Niet schreeuwerig en opdringerig, maar door gericht gebruik te maken van je onderscheidende kwaliteiten. Dit staat bekend als personal is door een gebrek aan onderscheidend vermogen. Zo kom ik vaak mensen tegen die zichzelf typeren met woorden als betrokken, deskundig en gemotiveerd. Maar dat is toch vanzelfsprekend, wanneer je werkzaam bent als vakman of professional? Laat ik de vraag anders stellen: ken jij autofabrikanten die adverteren met het feit dat hun auto's een motor, vier deuren en vier wielen hebben? Natuurlijk niet: autofabrikanten bepalen de doelgroep die ze willen bereiken en denken na hoe ze het beste naar deze doelgroep kunnen communiceren.

Dat zou jij ook moeten doen, naar de mensen (klanten/opdrachtgevers/ organisaties) die je voor jouw diensten wilt interesseren. Denk goed na hoe je het verschil maakt met andere aanbieders op je vakgebied en welke meerwaarde jij kunt toevoegen. Vraag eventueel mensen voor wie je hebt gewerkt of ze je hierbij kunnen helpen, door je gerichte feedback te geven op jouw manier van denken en doen. Zo wordt duidelijk wat je echt te bieden hebt en kun je bewust kiezen voor een onderscheidende manier van zelfprofilering.

De tweede manier waarop het mis kan gaan bij personal branding is door een gebrek aan authenticiteit. We willen

'Iedereen heeft een hekel aan weerhaantjes en roeptoeters.'

graag werken en zaken doen met personen die ergens voor staan en herkenbaar zijn in hun woord en gedrag. En we hebben een hekel aan weerhaantjes en roeptoeters, die constant van mening veranderen of met veel lawaai van hun aanwezigheid blijk moeten geven. Nee, dan liever de rustige persoon op de achtergrond, die bekend staat om het feit dat hij of zij altijd goed vakwerk aflevert. Zolang dat maar niet doorslaat naar teveel bescheidenheid, want dan loop je het gerede gevaar dat je prestaties niet de waardering krijgen die ze verdienen. En goed werk dat niet wordt opgemerkt, heeft geen waarde. Dat is een harde, maar onontkoombare waarheid.

Moraal van het verhaal: laat zien wie je bent en waar je voor staat. Je hoeft echt niet hard te schreeuwen om gehoord te worden, maar je moet wel gericht communiceren.

Cees Harmsen is autoriteit op het gebied van personal branding en leert mensen hoe zij een sterk persoonlijk merk kunnen worden, zodat zij meer gewenste resultaten boeken. Hij is auteur van drie boeken over personal branding, waaronder het recent verschenen Present! Met zijn bedrijf Mindsetter verzorgt hij workshops en presentaties over personal branding en persoonlijke innovatie. **www.mindsetter.nl**

Vandaag aanwezig: marketeers, durfkapitalisten en een paardencoach.

Zelfstandige professionals hebben de toekomst. Zij vormen de schakel tussen de oude en nieuwe arbeidsmarkt. Ze streven niet naar economische groei, maar naar het creëren van duurzame waarden. Ronald van den Hoff, initiator van Seats2Meet, geeft ze een gratis platform.

'ZP heeft de toekomst'

Aan de buitenkant van de grijze kantoorkolos bij Utrecht Centraal is niet te zien hoe het op de tweede etage bruist van de activiteit. Aan lange tafels zitten mensen ingespannen achter hun laptop. Anderen zijn in vergadering of bespreking met elkaar. Rokers overleggen en kletsen op het terras. De koffiebar middenin de grote ruimte bewijst goede diensten. In de kleurige lounge van Seats2Meet Utrecht gonst het. Het is druk.

Ronald van den Hoff (59), samen met Mariëlle Sijgers initiator van het netwerkconcept, maakt zich op voor een presentatie. Straks zal hij aan een zaal met geïnteresseerde zelfstandige professionals (zp'ers) zijn ideeën uiteenzetten over Society 3.0 en het belang van sociale netwerken waarin je kennis kunt delen en samen dingen kunt creëren. Camera's nemen de presentatie op. Er is een tweede scherm. In de zaal nippen jong, oud,

'Een piramidestructuur met bazen en ondergeschikte werknemers is niet meer van deze tijd.'

man, vrouw op felgekleurde bankstellen en stoelen aan een glaasje prosecco mét aardbei. Behalve deze toehoorders, is het publiek dat elders de presentatie livestream volgt, vermoedelijk vele malen groter.

Trendwatcher

Seats2Meet is een succes, zegt Ronald van den Hoff na afloop van zijn presentatie. 'We bieden mensen een podium waar ze kennis kunnen delen, relevante mensen kunnen ontmoeten en al dan niet gezamenlijk tot ideeën kunnen komen. Werkplek, koffie, thee, lunch en Wi-Fi zijn "gratis". De zp'ers die hier een workspace boeken, betalen met hun sociaal kapitaal. Dat is niet in geld uit te drukken. Ze moeten bereid zijn kennis te delen en open te staan voor anderen. Via het community dashboard van de betreffende locatie, kun je zien wie met welke kennis een plek heeft gereserveerd. Desgewenst kun je van tevoren met elkaar twitteren om alvast contact te leggen. Met elkaar verbonden zijn, kennis, producten en diensten uitwisselen; daar draait het om.'

Een greep uit de aanwezige zelfstandigen op deze maandagmiddag: webdesigners, journalisten, juristen, trainers, IT-consultants, belastingconsulenten, film- en theatermakers, marketeers, bankmedewerkers, communicatieadviseurs, softwareontwikkelaars, durfkapitalisten, architecten en stedenbouwkundigen, fotografen, crowdfunders, ontwerpers, een loopbaancoach en een paardencoach.

Al eerder probeerde ondernemer en trendwatcher Van den Hoff een plaats te creëren waar zp'ers elkaar kunnen ontmoeten. Hij zag de groep zelfstandigen groeien, en tegelijk zijn toenmalige horeca-activiteiten teruglopen. Meeting Plaza en Lounge dat in 2000 van start ging, was echter een flop, zo erkent hij ruiterlijk. 'Je móet de tijd voor zijn om te kunnen anticiperen op een nieuwe tijdgeest, maar dit was te vroeg.' De proef met Seats2Meet, waar vergaderaars online (betaald) ruimte kunnen boeken (meetingspace) en individuele zp'ers gratis kunnen werken (workspace) was in 2006 meteen een door-

Seats2Meet.com

Seats2Meet is een van de activiteiten van de holding 'Cada Día Es una Fiesta' (elke dag is een feest, CDEF Holding B.V.), die wordt geleid door Ronald van den Hoff en Mariëlle Sijgers. Seats2Meet ging in 2006 van start en telt inmiddels zestig locaties. Mensen kunnen er een workspace, een deskspace (semipermanent kantoor), meetingspace en eventspace (ruimte met alle faciliteiten en bijbehorende eventsoftware om een evenement te organiseren) boeken. De individuele werkplek is gratis en biedt koffie, thee, lunch en Wi-Fi. Maar vooral contact met andere zp'ers. Seats2Meet biedt een podium en verbindt mensen met elkaar. Kennis delen en waarde creëren is het gevolg, zo is de gedachte.
www.seats2meet.com

slaand succes. Van den Hoff vertelt hoe hij in het begin onder de voet werd gelopen. 'We kwamen stoelen te kort. Er meldden zich dagelijks twee tot driehonderd mensen.'

Society 3.0

Inmiddels kent Seats2Meet zestig locaties. Sinds juni 2011 zijn er meer dan een half miljoen stoelen gereserveerd. In 2012 zijn er ongeveer 65.000 werkplekken en 152.000 vergaderstoelen geboekt. In 2013 gaat het naar verwachting om 100.000 werkplekken en 220.000 vergaderstoelen. Het concept kreeg een prijs voor de beste werkplek van Nederland.

Van den Hoff maakte niet alleen furore met zijn Seats2Meet-concept, ook zijn boek 'Society 3.0' (2011, gratis download via www.society30.com) scoorde goed. Daarin legt hij uit dat oude systemen zichtbaar ten einde zijn en een nieuwe organisatie van de samenleving zich gestaag ontwikkelt. Een transitie naar een duurzame samenleving waar het belang van het bruto nationaal product is ingewisseld voor een circulaire economie met duurzame waarden. Dat gaat niet van de ene op de andere dag, zegt hij, maar het toenemend aantal initiatieven waarin mensen buiten de gevestigde orde én economie om activiteiten opzetten (vervoer, koken, spullen repareren, zorg verlenen, auto's delen, sollicitatiehulp, 'durf-te-vragen-initiatieven') spreekt boekdelen. 'Mensen gaan zich steeds

meer zelf organiseren. Nemen het heft in eigen hand. Ook in hun werk.'

Behalve de economie, gezondheidszorg, politiek, milieu en het onderwijs kraakt ook de arbeidsmarkt oude stijl in zijn voegen, betoogt Van den Hoff. De onophoudelijke stroom reorganisaties en ontslaggolven zijn volgens hem illustratief. 'De arbeidsmarkt zoals we die nu nog kennen stamt uit het tijdperk van de industriële revolutie - begin vorige eeuw. Een piramidestructuur met bazen en ondergeschikte werknemers is niet meer van deze tijd. De tijd dat mensen hun leven lang hetzelfde kunstje deden is echt voorbij. Het rare verschil dat nu nog wordt gemaakt tussen vaste en flexibele werknemers is straks ook niet meer houdbaar. Mensen zullen veel meer op gelijkwaardige wijze hun diensten beschikbaar stellen om samen iets tot stand te brengen. Met welk contract dan ook (zzp als schijnconstructie daargelaten), al dan niet in dienst van een bedrijf of als zelfstandige. In de toekomst zullen mensen hun kwaliteiten en kennis vaak voor meer dan één baas

ZP of ZZP?

Doe mee met Ronald van den Hoff, en gebruik voortaan de term zp'er (zelfstandige professional) in plaats van zzp'er (zelfstandige zonder personeel). Die toevoeging 'zonder' suggereert dat er iets ontbreekt, en dat is niet het geval. Van den Hoff: 'Zzp'er is een vreemde benaming, personeel is wel het laatste wat deze professionals zoeken'.

inzetten. En dan heb ik het niet alleen over hippe kenniswerkers, maar ook over werknemers die zorgen dat de infrastructuur en nutsfuncties gegarandeerd blijven, de monteur en de schoonmaker. Elk mens is in staat zelfstandig te bewegen op zijn niveau.' Zelfstandige professionals zijn de schakel tussen de oude en nieuwe arbeidsmarkt. Ze zijn onmisbaar voor bedrijven en organisaties die toegevoegde waarde willen creëren. Hun huidige aantal van een miljoen is volgens Ronald van den Hoff nog maar een begin. Tot ongenoegen van de gevestigde orde, vermoedt hij. Het stoort hem dat zelfstandigen vaak worden weggezet als 'zieligen zonder personeel', terwijl de meesten helemaal geen personeel willen. Ze hebben een andere mentaliteit, weet Van den Hoff. 'Zp'ers denken anders over bezit, hechten minder aan plat geld. Ze scholen zich permanent bij. En vinden het belangrijk kennis en informatie te delen via waarde-netwerken. Via internet en sociale media zijn ze heel eenvoudig wereldwijd met elkaar verbonden. Neem de site www.elance.com. Daar staan een paar miljoen professionals uit de hele wereld geregistreerd. Wil je een klus uitbesteden of heb je hulp nodig, dan kan dat met iemand uit de Oekraïne, Brazilië of Volendam. Zp'ers werken om de gevestigde systemen heen. Daar komen echt geen uitzendbureaus of vacaturesites meer aan te pas.'

Verbinding. Dat is volgens Van den Hoff het sleutelwoord als het om Society 3.0 gaat. De ontwikkelingen van een intelligent internet en sociale media zijn daarbij onmisbaar. De technologie verbindt ons, zegt hij. Zp'ers kunnen zich-

'Zelfstandige professionals hechten minder aan plat geld.'

zelf heel eenvoudig zichtbaar maken, wereldwijd contact met elkaar leggen en van elkaars diensten gebruik maken. Ze organiseren zichzelf. Van den Hoff: 'Internet 3.0 maakt het uitwisselen van kennis en waarde in een parallelle economie mogelijk. Daar ontstaan heel veel nieuwe initiatieven uit. Kijk naar een site als www.coursera.org, waar je zo'n 400 studies met colleges van tophoogleraren gratis kunt volgen. Mensen in Pakistan of India die geen geld hebben voor een ouderwetse reguliere universiteit, halen ons rechts in. Ze slaan stappen over en gaan overal aan het werk – dankzij internet.'

Switchen

Volgens Van den Hoff zijn veel werknemers en mensen die nu werkloos zijn te goedgelovig geweest. Te lang vertrouwen hebben in die ene vaste baan. Vasthouden aan diploma's voor banen die niet meer bestaan. Bang om te switchen. Van den Hoff schetst de kramp op de reguliere arbeidsmarkt anno 2013. Gedreven: 'Kom in beweging, ga naar trainingen, ontmoet mensen, zoek verbinding, sluit je aan bij netwerken, doe vrijwilligerswerk, word voor mijn part de beste gamer van 45-plus. Pas als je uit je comfortzone komt, krijg je succes.' (PH)

'Het is niet gelukt, maar ik heb geen spijt'

Ik heb 20 jaar gewerkt als controller. Een leuke baan, maar een stemmetje in me zei altijd: waarom geen eigen bedrijf? Controller als eenmansbedrijf, dat bestaat niet. Daarvoor moet je echt ín een bedrijf werken. Accountant worden wilde ik niet. Wat dan wel? Dat wist ik niet. Ik deed toen diverse cursussen en trainingen op het gebied van persoonlijke ontwikkeling en neurolinguïstisch programmeren. Toen ik een keer door het bos wandelde, viel alles op zijn plaats. Wandelcoach zou ik worden: wandelen en tegelijkertijd praten over persoonlijke ontwikkeling met een ander. Ik probeerde het uit, met mensen in mijn omgeving en binnen het bedrijf waar ik werkte. Ze reageerden heel enthousiast.

Begin 2011 nam ik ontslag. Tijdens de crisis. Er waren signalen dat het ergste voorbij was. Niet dus. In september werd de ellende in Griekenland zichtbaar. Sindsdien is het alleen maar erger geworden.

Maar ik maakte me geen zorgen. Ik kreeg van mijn werkgever wat extra's mee, zodat ik kon investeren. Mijn partner heeft een baan. Dat zorgt voor een financieel vangnet. Ik liet een website maken, flyers drukken. Die bracht ik zelf rond in wijken met potentiële klanten. Daar kwamen wat relaties uit, zij het niet genoeg. Ik richtte me toen op het mkb, belde diverse bedrijven op. Ook daar kwamen klanten uit.

Toch zorgde het niet voor substantiële omzet. Het was en is niet de juiste tijd. Ik heb daarom besloten weer op zoek te gaan naar een vaste baan. Financieel gaat het niet meer. Bovendien heb ik moeite met bepaalde kanten van een eenmansbedrijf. Laatst kwam ik terug van vakantie. Het was maandagochtend. Ik had eigenlijk koffie willen drinken met collega's, over mijn vakantie willen vertellen, van hen willen horen wat er tijdens mijn afwezigheid gebeurd was en dan plannen maken voor de komende weken. Collega's zijn belangrijk voor mij. Ook het werk zelf mis ik. Dat je ziet hoe een bedrijf er financieel bij staat, hoe je dat het beste kunt bijsturen. Dat gaf me altijd een kick.

Mensen zeggen: stoer dat je dit aandurfde. Maar ik heb gemengde gevoelens. Soms denk ik: achteraf gezien was het misschien geen goede zet. Op andere momenten ben ik trots: ik heb het toch maar gedaan. Hoe dan ook, spijt heb ik nooit gehad. Ik heb veel dingen geleerd. Wat de diverse markten zijn, hoe je acquireert. Ik zet nu weer in op een fulltime baan als controller. De wandelingen blijf ik doen. Want die geven nog steeds veel voldoening. Misschien juist meer nu ik er niet per se geld mee wil verdienen.' (HK)

(Ronald van Maurik heeft intussen een baan als controller gevonden)

Ronald van Maurik
(46 jaar)

VAN VASTIGHEID NAAR AVONTUUR

ONDERNEMER WORDEN OP DE OUDE WERKPLEK

Tweeduizend mensen verloren hun baan toen het voormalige Organon werd ingekrompen. Enkele oud-medewerkers zetten hun werk voort, in een eigen onderneming. 'Het geeft een enorme kick.'

Het rommelde al een tijdje bij het farmaceutische bedrijf MSD, beter bekend als het door de anticonceptiepil groot geworden Organon. Sinds november 2007 is het bedrijf niet meer zelfstandig, toen het in handen kwam van de farmaceutische multinational Schering-Plough. Dit bedrijf werd op zijn beurt in 2009 overgenomen door het in de Verenigde Staten gevestigde Merck, in Europa bekend onder de naam MSD. Al jaren worden de echte beslissingen dus niet meer in Oss genomen en met dat gegeven zijn de medewerkers keihard geconfronteerd in juli 2010, toen uit de VS de mededeling kwam dat de afdeling onderzoek en ontwikkeling in Oss zou worden gesloten en de productieafdeling zou worden gehalveerd. In totaal zouden dik tweeduizend mensen hun baan verliezen. Een jaar later was dat een feit.

Uiteraard is er van alles geprobeerd om het bedrijf in stand te hou-

Gerrit Veeneman (56) doet nu werk waar zijn hart ligt.

den, met reddingsplannen en pogingen het bedrijf te verkopen. Maar er is ook gewerkt aan iets geheel nieuws: de opzet van het Life Sciences Park, waar oud-medewerkers min of meer hun oude werk kunnen voortzetten. Bij wijze van spreken op hun oude werkplek, alleen dan zonder loonstrookje, maar als ondernemer. In februari ging het park officieel van start, in november werd het omgedoopt tot Pivot Park. Inmiddels zijn er dertig bedrijven actief, met wisselend succes.

'Begin er toch niet aan', zeiden velen in de omgeving van Gerjan Kemperman (40), die op dat moment als hoofd proceschemie leidinggaf aan 55 mensen. Maar hij deed het wel. 'Ik zag de bui al een tijdje hangen en bovendien was ik na tien jaar Organon aan iets anders toe. Ik kreeg diverse kansen op vergelijkbaar werk, maar ik wilde écht iets anders.' Toen het park in beeld kwam, ging hij op zoek naar klanten en opdrachtgevers en op 8 mei 2012 zette hij de stap: samen met een compagnon richtte hij ChemConnection BV op. Het bedrijf produceert actieve stoffen voor medicijnen en ontwikkelt hier productiemethodes voor. Begonnen met 3,5 medewerkers, telt het bedrijf inmiddels dertien man personeel.

Het grootste verschil met voorheen is dat de inkomenszekerheid ontbreekt. 'Maar bij MSD was hier ook geen sprake van', relativeert de ondernemer onmiddellijk. 'Eigenlijk bestaat dat nergens meer. Destijds viel een project weg

Tip 1 Maak je eigen plan en verander dat niet te vaak.

Tip 2 Luister niet naar je omgeving, als die alleen maar beren op de weg ziet.

Tip 3 Blijf in je plan geloven en laat je niet uit het veld slaan bij tegenslag.

Tip 4 Laat je adviseren door een ervaren ondernemer die je vertrouwt.

Tip 5 Kijk niet te veel achterom, het verleden komt niet meer terug.

als een opdrachtgever een stofje niet meer wilde, maar liep je salaris hoe dan ook door. Nu valt er gelijk een deel van de omzet weg. Zorg is een groot woord, maar het heeft doorlopend mijn aandacht.'

Daar staat tegenover dat het bedrijf veel slagvaardiger kan opereren. 'Willen we iets anders, dan doen we dat gewoon. Zonder overleg in allerlei comités. De mensen die hier werken zijn niet gekomen voor de baanzekerheid, maar vanwege de uitdaging. We hebben een ontzettend gemotiveerde ploeg, die niet

'Ik maak veel meer uren
dan voorheen, tegen een
verglijkbaar inkomen. Maar
ik kom weer vrolijk thuis.'

wordt geremd in ambitie en niet wordt
beknot vanuit de VS.'

En dat geeft ook Kemperman energie. 'Ik maak veel meer uren dan voorheen, tegen een vergelijkbaar inkomen.
Maar ik kom nu weer vrolijk thuis. Mijn
partner heeft een kleine baan, we hebben drie kleine kinderen, dus ze heeft
zich best wat zorgen gemaakt. Maar dit
is ook heel veel waard.'

Niet alle bedrijven zijn vanaf dag één
een succes, zo blijkt uit het verhaal van
Gerrit Veeneman (56), die zich bij Organon 21 jaar bezighield met de ontwikkeling van medicijnen. Ook hij startte
een bedrijf en gaat nu dagelijks naar zijn
kantoor op het park. Daar probeert hij
samen met een collega PharmaCytics
van de grond te krijgen. Maar hij kan
eigenlijk niet wachten om het laboratorium in te gaan.

Zijn passie: oncologie. 'Iedereen kent
wel iemand in z'n omgeving die een
ongeneeslijke vorm van kanker heeft',
zegt hij. Tot 2006 deed Organon echter
niets op dit terrein en Veeneman was
dan ook blij dat hij hier een plan voor

mocht schrijven. 'Maar een maand nadat het rapport klaar was, werd Organon overgenomen door Schering-Plough, die het plan afschoot. Heel
frustrerend.'

Toen in 2010 duidelijk werd dat hij
zijn baan kwijt zou raken, had Veeneman zijn keus dan ook snel gemaakt.
Hij zou zich alsnog op z'n passie storten. Verder doet hij onderzoek naar het
verbeteren van de opname van medicijnen. Hij verwacht hier sneller geld mee
te kunnen verdienen, om zo het oncolo-
gieonderzoek te kunnen financieren.

Want dat is zijn grote probleem:
geld. 'Onderzoek is duur en tijdrovend.
Het gaat pas iets opleveren als er na
vele testfasen uiteindelijk verkoopbare
producten zijn. En de financiële wereld
is nu erg voorzichtig met investeringen
in deze sector. Had ik dit plan vijf jaar
geleden bedacht, dan had ik allang in
het laboratorium gestaan', zegt de onderzoeker.

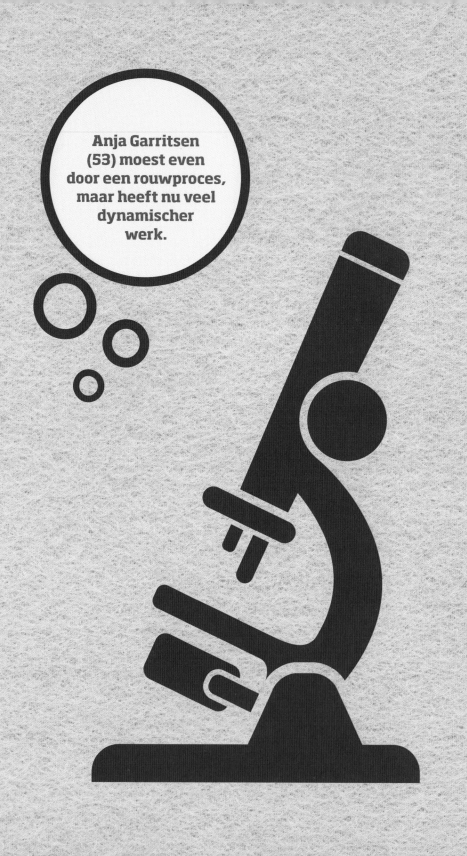

'Rijk hoef ik er niet van te worden. Als ik een Porsche voor de deur zou willen, had ik een ander vak moeten kiezen.'

Hopeloos geval? Dat beslist niet, stelt Veeneman. 'Ik ben onderzoeker. Dat betekent dat ik gewend ben door zeer diepe dalen te gaan voor er resultaat is. Dit gaat lukken.' En dan doet hij waar zijn hart ligt: onderzoek dat er toe doet, zonder het risico dat een manager overzee de stekker eruit trekt. 'Rijk hoef ik er niet van te worden. Als ik een Porsche voor de deur zou willen, had ik een ander vak moeten kiezen.'

Het verhaal van Anja Garritsen (53) loopt voor een groot deel parallel aan dat van Veeneman en Kemperman. Zij moest even door een soort rouwproces toen bleek dat de zekerheid van een vaste werkgever schijnzekerheid was. Vooral viel het haar zwaar dat ze weinig kon doen voor de zestig medewerkers waar ze zich bij haar onderzoeksafdeling verantwoordelijk voor voelde.

Na een periode van rust, die ze nodig had om afstand te nemen, startte ze InnatOss Laboratories BV, dat zich toelegt op de ontwikkeling van tests om Q-koorts en de ziekte van Lyme vast te

stellen. Inmiddels heeft ze drie mensen in dienst, waarmee ze samen keihard werkt om het bedrijf tot een succes te maken. Dat is het geval als ze klaar is met de ontwikkeling voordat het geld op is. 'Ik moet er niet aan denken dat we in het zicht van de haven stranden', zegt ze. Haar belangrijkste troef was dat ze vanaf het begin advies heeft gehad van een ervaren ondernemer. 'Je moet iemand hebben die je helemaal kan vertrouwen.'

De verschillen met voorheen? 'Om te beginnen had ik een dijk van een salaris, dat haal ik nu niet. En zes miljoen op de afdelingsrekening. Een apparaat aanschaffen van tienduizend euro was niks, maar duizend is al veel als het van je eigen rekening komt.' Dat nadeel weegt echter bij lange na niet op tegen de voordelen. Om te beginnen het product. 'Al heeft de ontwikkeling van medicijnen meer status, deze tests voorkomen dat je ziek wordt. Verder ben ik nu verantwoordelijk voor mezelf en hoef geen mensen meer te redden. En het geeft een enorme kick om er met z'n vieren voor te gaan, veel dynamischer en zonder de last van besluiten in de VS. Het is prima zo.' (LO)

'Het is een investering in mezelf'

Het kost meer inspanning dan vroeger, maar op latere leeftijd weer gaan studeren is verrijkend. Vertellen de mensen die het deden. Volgens hoogleraar Andries de Grip is een leven lang leren zelfs een must. 'Nu we langer moeten doorwerken doen 45-plussers er goed aan te overdenken of ze hun huidige werk de rest van hun loopbaan blijven doen.'

Caroeline Stevens (45) begon in september 2012 met de bachelor Taal en Communicatie aan de Universiteit van Amsterdam. Twee jaar daarvoor was ze gestopt met haar werk als fysiotherapeut. Stevens: 'Ik haalde steeds minder voldoening uit mijn werk. Ik werkte in een maatschap, zo'n dertig uur per week. Als je parttime werkt gaat er onevenredig veel tijd zitten in administratie en verplichte bijscholing. Ook andere dingen stonden me tegen. Als fysiotherapeut heb je geen beslissingsbevoegdheid, je werk wordt ingeperkt door allerlei politieke besluiten. Als ik meer uit mijn werk had willen halen had ik er meer tijd in moeten steken. Met een gezin van vier kinderen tussen de zeven en veertien jaar ging dat niet. Naar mijn gevoel deed ik alles half. Omdat mijn man niet korter kon werken besloten we dat ik helemaal thuis

Caroline Stevens
Bachelor Taal en
Communicatie (deeltijd)

Marnix van der Waals
Pabo (deeltijd)

Hester Dam
Pulsar Academie,
veranderkundige

zou blijven. Ondertussen zou ik me oriënteren op een nieuwe studie waarmee ik, als de kinderen wat ouder zijn en minder zorg nodig hebben, ander werk zou kunnen vinden. Ik heb toen enkele beroepskeuzetestjes gedaan en daar kwam ongeveer deze studie uit. Ik was altijd al geïnteresseerd in taal.'

Stevens doet de studie in deeltijd. Het enige verschil met een voltijdstudie is dat ze er 4,5 in plaats van drie jaar over mag doen. De colleges volgt ze samen met voltijdstudenten. De lesstof vindt ze interessant. Het samen met 20-jarigen studeren is ook leuk. 'In het begin was het even wennen, maar nu ben ik gewoon een van hen. Ik let wel veel beter op in de les dan zij. Ik wil alles weten. Ik moet me inhouden om niet altijd degene te zijn die vragen stelt.' Maar het studeren

zelf is zwaar. 'Vroeger kon ik makkelijk dingen uit mijn hoofd leren. Dat gaat nu veel moeilijker. Mijn tempo is dramatisch gedaald. Ik moet de stof veel nadrukkelijker en vaker lezen. Maar als ik weer een tentamen heb gehaald of me door een taai stuk tekst heb geworsteld geeft dat veel voldoening. Ik krijg er nieuwe energie van.' Ze weet nog niet precies wat voor werk ze straks wil gaan doen. 'Waarschijnlijk iets met bedrijfscommunicatie in de gezondheidszorg. Want het zal lastig worden om straks, als 50-jarige, werk te vinden. Met mijn werkervaring in de gezondheidszorg heb ik dan toch iets meer te bieden dan een net afgestudeerde.'

Nieuwe stappen

Steeds meer mensen pakken op latere leeftijd een nieuwe studie op. Volgden tien jaar geleden 384.000 45-plussers post-initieel onderwijs, in 2011 waren dat er 500.000, waarvan 178.000 55-plussers. Dat betekent dat ruim 22 procent van de 45-plussers een vol- of deeltijdopleiding of een cursus volgen. En daar doen ze heel verstandig aan, zegt Andries de Grip, hoogleraar scholing en arbeidsmarkt aan de Universiteit Maastricht. 'Vroegen gingen mensen vaak al op hun 55ste jaar met pensioen. Nu moeten ze nog tien of vijftien jaar langer doorwerken. En dat in een arbeidsmarkt die op technologisch en organisatorisch gebied razendsnel verandert. Mensen zullen zich moeten blijven scholen om breed inzetbaar te blijven.' Volgens De Grip kunnen bedrijven en organisaties daarvoor een veel actiever beleid voeren dan ze nu doen. 'Bijvoorbeeld door functieroulatie, zodat mensen

Caroline Stevens
Bachelor Taal en
Communicatie (deeltijd)

Marix van der Waals
Pabo (deeltijd)

Hester Dam
Pulsar Academie,
veranderkundige

'Het beste is om een studie te kiezen die voortbouwt op je kennis en ervaring.'

de mogelijkheid krijgen nieuwe kennis aan te leren en zich te bekwamen in andere vaardigheden. Of door werknemers vouchers te geven, die ze kunnen besteden aan cursussen of andere loopbaangerichte activiteiten. Philips bood bijvoorbeeld alle werknemers employability-miles, e-miles, aan die ze konden besteden aan verschillende loopbaangerichte activiteiten. Uit ons onderzoek bleek, dat ze niet alleen een scherper beeld kregen van hun loopbaanmogelijkheden maar dat ze ook meer trainingen gingen volgen om nieuwe stappen te kunnen zetten. Bedrijven zouden ook meer gebruik moeten maken van de ervaring en kennis van oudere werknemers. Als bepaalde functies te hectisch voor ze worden kunnen ze bijvoorbeeld vooral taken gaan doen waarbij hun uitgebreide netwerk van pas komt. Of ze kunnen kennis gaan overdragen.'

Boeiend

De verantwoordelijkheid voor brede inzetbaarheid ligt in de eerste plaats bij de mensen zelf, benadrukt De Grip. 'Iedereen zou rond zijn 45ste moeten nadenken over de vraag of hij dit werk wel tot zijn 70ste wil en kan blijven doen. Zo niet, dan heeft het wel degelijk

zin om iets nieuws te gaan leren. Daarvan kun je dan nog jaren profiteren.'

Dat hoopt ook **Marnix van der Waals (51)**. Sinds september 2010 volgt hij, naast zijn parttime baan als welzijnswerker, de deeltijd Pabo. 'Ik speelde al jaren met de gedachte om in het onderwijs te gaan werken. Ik vind het leuk om kinderen iets te leren. Toen ik in mijn werk computercursussen gaf merkte ik ook dat ik het goed kon. Daarnaast neemt de werkgelegenheid in de welzijnssector af. Stel dat ik mijn werk kwijtraak, dan is het veilig om nog ander werk te kunnen doen.'

Voor de deeltijdvariant, die 2,5 in plaats van vier jaar duurt, is een afgeronde hbo- of wo-opleiding vereist. De colleges zijn in de avonduren. 'Ik vind ze heel boeiend. Je zit alleen met gemotiveerde mensen in de klas, vrijwel iedereen heeft al ervaring met het werken met kinderen. Het leren zelf, de theorie uit mijn hoofd leren, valt me wel veel zwaarder dan vroeger. De studie slokt ook al mijn vrije tijd op. Maar ik zie het als een investering in mezelf.' Als hij in september 2013 klaar is hoopt hij werk op een basisschool te vinden. Voorlopig houdt hij zijn oude baan aan. 'Ik ga me

'Vroegen gingen mensen vaak al op hun 55ste met pensioen. Nu moeten ze nog tien of vijftien jaar langer doorwerken.

En dat in een arbeidsmarkt die op technologisch en organisatorisch gebied razendsnel verandert.'

eerst opgeven als invalskracht voor een dag in de week. Hopelijk rol ik dan zo in een fulltime aanstelling.'

Hester Dam (48) stopte wel, net als Caroeline Stevens, met haar werk voordat ze een nieuwe studie begon. Jarenlang verdiende ze haar geld als klassiek zangeres. Tot ze een gehoorbeschadiging kreeg. Na een operatie, in 2006, bleef ze last houden van oorsuizen. 'Het zingen ging steeds moeilijker. Ik praatte er met niemand over. In de muziekwereld is een zangeres die slecht hoort een taboe. Het zingen gaf me geen plezier meer. Ik besloot ermee te stoppen. Dat is niet eenvoudig. In het begin zei ik maar dat ik geen tijd had als ik gevraagd werd voor een rol. Er is echt moed voor nodig om te zeggen: ik zing niet meer.'

Ze gaf nog wel zanglessen. Maar een ernstig ongeluk maakte daaraan een voorlopig eind. Tijdens de lange revalida-

tieperiode bezon ze zich op haar toekomst. 'Iemand vertelde me over de Pulsar Academie, een opleiding tot veranderkundige. Je leert mensen die zijn vastgelopen zo te begeleiden dat ze hun leven of werk weer zinvol gaan vinden. Dat sprak me enorm aan. Vier jaar geleden begon ik met de opleiding. Ze duurt drie jaar. De eerste twee jaar ben je veel met jezelf bezig. Om andere mensen te kunnen helpen moet je leren wat je eigen inspiratiebronnen zijn, je talenten, hoe je in relatie staat tot anderen. In het derde jaar ga je cliënten daadwerkelijk begeleiden. Ik vond het heerlijk om nieuwe dingen te leren en me te verdiepen in zingevingsvraagstukken. Ik ontdekte dat het mijn passie en talent is mensen in veranderingsprocessen te begeleiden.'

In mei 2012 rondde ze de opleiding af. Enkele maanden daarna kon ze als loopbaancoach aan de slag bij een loopbaanadviesbureau. Daarnaast begeleidt ze cliënten in haar eigen praktijk. Ze is blij met haar indertijd gemaakte keuze. 'Ik ben erachter gekomen dat het helpen van andere mensen mij veel gelukkiger maakt dan het zelf in de picture staan.'

Dominees

Hoewel Hester Dam volop werk heeft zien de werkgelegenheidsperspectieven voor loopbaan- en andersoortige coaches er niet florissant uit. Er zijn er gewoon te veel van. Ook voor communicatiemedewerkers, journalisten, economen, juristen en basisschoolleerkrachten ligt het werk niet voor het oprapen. 'Er is wel behoefte aan deze beroepskrachten, maar het aanbod overtreft verre de vraag', zegt De Grip. Zijn onderzoeksinstituut Researchcentrum voor Onderzoek en Arbeidsmarkt (ROA) publiceert tweejaarlijks prognoses van de arbeidsmarktperspectieven van afgestudeerden over vijf jaar. Welke studies bieden wel veel kans op werk? De Grip: 'Voor iedereen gaat het altijd om een combinatie van arbeidsmarktperspectieven en dingen waar je goed in bent. Sec genomen bieden opleidingen voor medische, paramedische en technische beroepen de beste baankansen. Ook leraren in het beroepsonderwijs en verpleegkundigen kunnen makkelijk aan de slag. En theologen. De opleidingen daarvoor zijn zo impopulair geworden dat er inmiddels een groot tekort is aan dominees en priesters. Maar het beste is om als je later in je loopbaan een nieuwe studie wilt gaan doen, er een te kiezen die op enigerlei wijze voortbouwt op je opgedane kennis en ervaring. Voor een welzijnswerker die ervaringen heeft met pubers is het onderwijs geen onlogische stap.' (MvR)

Wat kost dat?

Het wettelijk collegegeld voor een universitaire of hbo-studie bedraagt voor het studiejaar 2013/2014 € 1.835,-. Als je na 1 september 1991 al een wo- of hbo-diploma hebt behaald, betaal je het zogenaamde instellingscollegegeld, dat vaak fors hoger ligt. Instellingen bepalen zelf de hoogte van dat bedrag. Voor een voltijd- en deeltijdstudie zijn de kosten hetzelfde. Universiteiten kennen geen deeltijdvarianten, met bijvoorbeeld een verkort programma en lessen in de avonduren. Je mag alleen langer over je studie doen. Hbo-opleidingen kennen wel deeltijdvarianten, met avondcolleges en een verkort programma.

Bij de Open Universiteit betaal je geen collegegeld per jaar maar per module à € 284,- exclusief tentamengeld. Doe je lang over de studie dan is de OU goedkoper, rond je je bachelor of master snel af dan ben je bij de OU duurder uit dan bij de reguliere universiteit.

Leraren in het primair, voortgezet en beroepsonderwijs die zich verder willen specialiseren kunnen voor een bachelor of master een lerarenbeurs krijgen.

Een voltijd mbo-opleiding kost € 1.090 per jaar. De kosten van een deeltijd mbo-opleiding zijn afhankelijk van het niveau en variëren van 226 tot 549 euro per jaar. Particuliere opleidingen bepalen zelf de hoogte van het lesgeld.

Uw **boekhouding** moet kloppen, maar **goed advies** is net zo belangrijk.
Onze tien geboden voor startende ondernemers:

1. Doe werk dat bij je past.

2. Blijf altijd eerlijk.

3. Toon lef en straal kracht uit.

4. Houd je financiële administratie op orde.

5. Kom beloftes na.

6. Presenteer kort en bondig wat je te bieden hebt.

7. Gedraag je proactief en blijf werk creëren.

8. Bouw een netwerk om je heen.

9. Zorg voor een financiële buffer.

10. Bepaal jouw ideale balans tussen werk en privé.

ondernemende accountants en adviseurs
ACCOUNTANTSTEAM

Kijk voor meer informatie op **www.accountantsteam.nl**
of neem direct contact met ons op via **030 6369696**

Laat zien wat je kunt

Kent u ze ook, die mooie verhalen over mensen die zich in hun werk gericht ontwikkelen en steeds hogerop komen? Over jobhoppers die gestaag carrière maken. Over mensen die het over een andere boeg willen gooien en een succesvolle carrièreswitch maken? Het lijkt zo gladjes te verlopen. Toch is de werkelijkheid vaak weerbarstiger. Niet iedereen weet wat-ie wil en niet iedereen weet wat-ie kan.

De baan voor het leven bestaat niet meer. Flexibiliteit is het nieuwe devies en continue persoonlijke ontwikkeling de bijbehorende noodzaak. Maar dat wil niet zeggen dat je anno nu fluitend van baan naar baan gaat of dat je zomaar een nieuwe carrière begint in een andere sector. Ga er maar aan staan als je net ontslagen bent of echt wat anders wilt doen.

Een lastige klus is om duidelijk te maken wat je de laatste jaren allemaal hebt geleerd. Wat zijn die werkervaring en al die cursussen en opleidingen eigenlijk waard? Gelukkig zijn er instrumenten die je kunnen helpen om aan te tonen over welke kennis en ervaring je beschikt. Zodat dat voor jezelf én voor anderen duidelijk is.

Je ervaring kun je aantonen via EVC. Dat staat voor erkenning van verworven competenties. Je kunt met een EVC-traject allerlei competenties duidelijk maken, ook competenties die je buiten je werk hebt verworven. Je bouwt een portfolio op en doet assessments. Na afloop van zo'n traject krijg je een ervaringscertificaat. Je komt er sterker door op de arbeidsmarkt te staan en het kan een eventuele studie verkorten.

Wat je opleidingen waard zijn kun je laten zien via het NLQF. Dat vergelijkt opleidingsniveaus met elkaar. Hierdoor krijg je zicht op het niveau van alle door jou behaalde diploma's en certificaten. Dat is van belang omdat veel diploma's en certificaten geen erkende niveau-aanduiding kennen. Een goede niveau-aanduiding is ook voor je internationale mobiliteit handig. Pak dus die verantwoordelijkheid voor je eigen carrière. Weet waar je staat en laat zien wat je waard bent.

Tijs Pijls Coördinator Kenniscentrum EVC
www.kenniscentrumevc.nl | www.nlqf.nl

Grijze haren zijn onmisbaar

Je schrijft een sollicitatiebrief en vermeldt je geboortejaar 1960 of daaromtrent. Alsof je je eigen doodvonnis tekent. Hoe overtuig je de recruiter dat ouderen veel hebben toe te voegen? Argumenten zijn er wel degelijk, zo blijkt uit een rondgang bij een aantal experts. En ze zijn keihard.

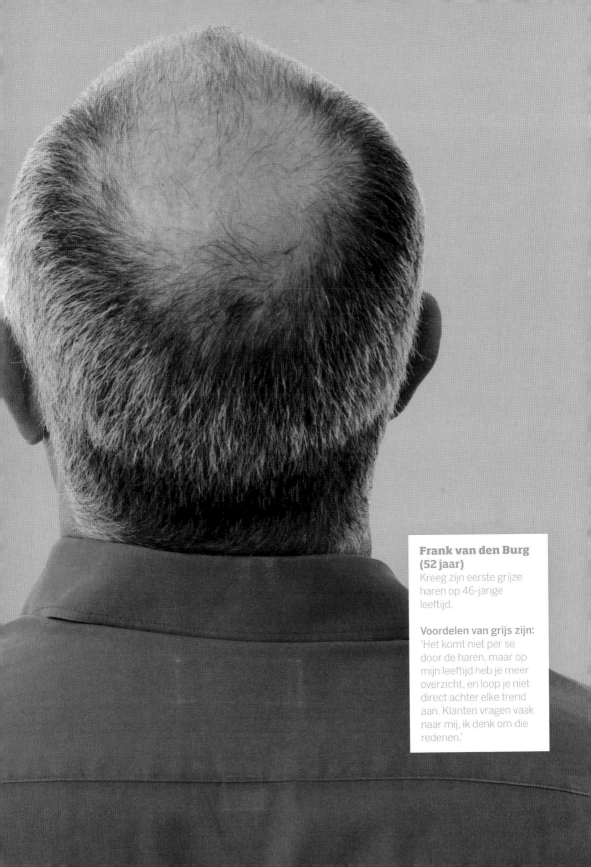

Frank van den Burg (52 jaar)
Kreeg zijn eerste grijze haren op 46-jarige leeftijd.

Voordelen van grijs zijn:
'Het komt niet per se door de haren, maar op mijn leeftijd heb je meer overzicht, en loop je niet direct achter elke trend aan. Klanten vragen vaak naar mij, ik denk om die redenen.'

'Organisaties hebben ouderen nodig. Ze beschikken over de nodige wijsheid en kunnen rust brengen', zegt Otto Kroesen, wetenschappelijk medewerker aan de TU Delft en auteur van diverse boeken over mensen en organisaties. Hij zegt dat elke levensfase zijn eigen voor- en nadelen heeft. Belangrijk is dat ze elkaar aanvullen. Een organisatie die maar een enkele leeftijdsgroep kent, doet zichzelf tekort.

Bij Shell heb je veel meer jongeren. De stem van de oudere generatie is daar minder aanwezig, wat ik jammer vind', zegt Wouke Lam. Zij heeft jarenlang leiding gegeven aan diverse IT-afdelingen van het olieconcern, maar is mede door haar eigen interesse terechtgekomen op het door de Amerikanen aangedragen onderwerp *Diversity & Inclusion*. Lam ontdekte bijvoorbeeld dat de situatie bij de rijksoverheid tegengesteld is aan die bij Shell: 'Bij het Rijk zie je juist dat de stem van de jongere generatie veel minder aanwezig is. Wat even jammer is.'

'De oudste werkende generatie is de enige groep waarvan de arbeidsparticipatie nog flink kan stijgen. Als de economie aantrekt hebben we ze nodig! Ook de volgende generatie senioren, van generatie X (1955-1970), hebben we dan hard nodig', stelt Aart Bontekoning. Al jaren doet hij onderzoek naar generaties. Het nieuwste boek dat hij daarover publiceerde heet 'Generaties! Werk in uitvoering'. Bontekoning: 'De vitale senioren van de protestgeneratie zo lang mogelijk aan het werk houden zal hun gezondheid en levensgeluk ten goede komen en miljarden aan zorgkosten besparen.'

Volgens Kroesen zijn er drie levensfasen in relatie tot het werk. Er zijn de jongeren die net komen kijken en voor wie het leven nog een spel is. Dan is er een middengroep die de ernst van het leven heeft leren kennen en een oudere

groep die een bijzondere positie in-
neemt. Die groep kent het klappen van
de zweep, en beschikt ook over de nodige levenswijsheid.

Hakken

'Je kunt je afvragen of je met die oudere
levensfase iets kunt, iets waarmee je een
organisatie vruchtbaarder maakt, waarmee iedereen beter af is', meent Kroesen. 'Om daar een antwoord op te vinden, moet je de eerste twee levensfasen
wat scherper afgrenzen. Daar zijn we wat
vertrouwder mee. In de eerste levensfase
bijvoorbeeld stappen mensen enthousiast in hun nieuwe werk en groeien enthousiast mee. Het is fantastisch om een
baan te krijgen en te zien hoe alles werkt.
Ik had hier een student die pas aan het
werk was gegaan bij een grote oliemaat-
schappij. Er was net een reorganisatie
gaande met allerlei politieke intriges,
maar dat raakte hem niet. Hij was zo
onder de indruk van hoe die grote organisatie functioneerde, dat hij als het ware
vol bewondering rondliep op het slag-
veld. Dat is typisch iets voor een jongere,
die ziet daaraan voorbij.'

Naarmate je langer meeloopt, ga je zien
wat er niet klopt en wat er ontbreekt
aan een organisatie. 'Dat is volwassenheid, dat je ziet waar de boel niet goed
functioneert en er iets nieuws moet
gebeuren. Dan zul je ergens voor moeten durven staan. De vraag is wanneer
je een keer je hakken in het zand zet en
je je mening publiekelijk naar buiten
brengt. In de midlifecrisis lijdt iemand
eronder dat hij wel degelijk een eigen

Hogere volwassenheid

'Hogere volwassenheid is een andere manier
van in het leven staan, minder egocentrisch,
minder op de eigen carrière gericht en met
meer besef van maatschappelijke verantwoordelijkheid.' Aldus Bernard Lievegoed
(1905-1992), psycholoog en organisatiedes-
kundige. Hij was een van de eerste Nederlandse experts op het gebied van levensfasen.
Een van de eersten die zich wetenschappelijk heeft beziggehouden met levensfasen is
Rudolf Steiner (1861-1925), de grondlegger
van de antroposofie. Maar Steiner is erg
spiritueel geöriënteerd. Praktischer is zijn
leerling Lievegoed, die lange tijd hoogleraar
sociale pedagogie was aan de Economische
Hogeschool in Rotterdam. In zijn boek 'Le-
vensloop van de mens' geeft hij een overzicht van eerder onderzoek op het gebied
van levensfasen plus zijn eigen bevindingen.
De leeftijd van veertig jaar is volgens Lievegoed een kritische fase. Lievegoed: 'Halverwege de veertiger jaren is wel duidelijk wie
zelf doorgroeit naar hogere volwassenheid
en naar beleidsdenken en wie dat niet zonder hulp klaarspeelt.'
Dat sluit aan bij de gedachten van een andere auteur, de Duits/Amerikaanse cultuurfilo-
soof Eugen Rosenstock-Huessy (1888-1973),
aan wie Otto Kroesen veel van zijn inspiratie
ontleent. In zijn boek 'Tegenwoordigheid van
geest in het tijdperk van de techniek' vat
Kroesen de gedachten van deze filosoof
samen. Kroesen schrijft onder andere dat we
gewend zijn om onderscheid te maken tussen 'jong' en 'oud', maar dat er nog een derde
levensfase is, die waarbij een mens niet meer
voor zichzelf leeft, maar ten behoeve van de
wereld om hem heen.

Marianne van Dijk (54 jaar)
Kreeg haar eerste grijze haren 'heel plotseling twee winters geleden'..

Voordelen van grijs zijn:
'Van mij hoeven die grijze haren niet. Maar mijn man vindt het tot mijn verrassing aantrekkelijk. Ik denk soms dat het gezag uitstraalt, ik voel me zelfverzekerder dan tien jaar geleden.'

Wijsheid is dat je wel ziet hoe het moet, maar niet altijd je punt hoeft te maken.

inbreng heeft, maar er niet in slaagt die naar voren te brengen.'

Een goede manager stuurt niet aan, stelt Kroesen. 'Die weet een hiërarchische verhouding te combineren met een egalitaire verhouding, een dialoog op gelijk niveau. Een goede manager kan ook meedoen in het spel, in het groepsproces. In de derde levensfase hebben mensen het vermogen en de wijsheid om op het juiste moment te stoppen en te beginnen, te schakelen.' Wijsheid is volgens Kroesen dat je wel ziet hoe het moet, maar niet altijd je punt hoeft te maken. 'Dat je je tijd weet te kiezen. En dat een manager in wisselwerking kan treden met zijn personeel, zodat hij groei van anderen mogelijk maakt.'

Die groei staat centraal in het leven van Wouke Lam. Ze heeft gestudeerd aan de TU Delft en fungeerde bij Shell onder meer als Global Change and Communications Manager. Toen ze ongeveer 35 was, volgde ze een workshop emotionele intelligentie. 'Daar werd ons gevraagd om ons eigen mission statement te formuleren', vertelt Lam, 'Bij mij kwam eruit: groeien, bloeien en anderen tot groei en bloei

brengen. Later heb ik dat in verband kunnen brengen met de levensfasen zoals die beschreven worden door Rosenstock-Huessy [zie kader]. Het groeien is natuurlijk de jonge fase, het bloeien is de ernstfase en het willen overdragen om anderen tot groei en bloei te kunnen brengen, dat zit dan in de derde fase.'

Ze is inmiddels twintig jaar ouder, maar alledrie de elementen zijn bepalend gebleven. Lam: 'Willen groeien betekent zelf ook willen blijven leren. In het bloeien zie ik het ontplooien van je talenten en het neerzetten van echte resultaten. En het overdragen is het geven aan anderen. Ik merk dat in de loop van je leven de balans tussen die drie langzaam verandert. In het begin ben je nog volop bezig met groeien en komt het overdragen nog niet zo aan de orde. Alle drie de elementen zijn altijd aanwezig, maar de nadruk verschuift.'

Lam werkte al jarenlang op verscheidene IT-afdelingen van Shell in Nederland. Elk land had destijds nog een autonome Shell-vestiging, maar nu kwamen met het opengaan van de grenzen heel nieuwe onderwerpen op tafel. Lam: 'Er

'Ouderen beschikken over de nodige wijsheid en kunnen rust brengen.'

kwam meer contact met de Amerikanen, die het onderwerp *Diversity & Inclusion* introduceerden. Zij waren op dat punt al veel verder dan wij.'

Dat onderwerp sprak haar aan. Hot items in Amerika waren bijvoorbeeld *gender*verschillen, dus man-vrouw. Daar wist Lam als vrouw in een mannenwereld alles van af. Maar de Amerikanen waren ook met andere punten bezig. Lam: 'Rassenverschillen bijvoorbeeld, *people of color*. Centraal bij dat hele proces stond de vraag wanneer je *inclusive* bent, hoeveel ruimte laat je voor de ander?'

'Ik was destijds manager van een globaal team van circa vierhonderdtwintig mensen', vertelt Lam. 'Daar kon ik het onderwerp *Inclusiveness* zelf in het team inbouwen. Dat vond ik geweldig, om het echt werkend te krijgen. Vanuit een inclusieve werkomgeving kwam ik op een inclusieve samenleving, waarbij iedereen tot zijn recht komt. Wat dat betreft ben ik wel idealistisch.'

Maar rond haar vijftigste ging het mis. Na een veelzijdige carrière op het raakvlak van IT en Human Resources bij het inmiddels geglobaliseerde Shell keek Lam nog eens naar haar mission statement. Teleurgesteld stelde ze vast dat ze eigenlijk niet meer kon groeien in haar toenmalige functie. Zo kwam de crisis. Moest ze blijven of weggaan? Lam: 'Ik liep wel te reflecteren, want ik zou ook gewoon door kunnen gaan. Je laat heel wat achter als je vertrekt. Maar het leven is te kort. Dit was niet wat ik echt wilde. Diversiteit en inclusie, dat was wat me boeide.'

Toen kwam onvermijdelijk de druppel die de emmer deed overlopen. In een beoordelingsgesprek werd opgemerkt dat ze zoveel erbij deed naast haar eigenlijke baan. Lam: 'Dat klopte ook wel, ik zat in allerlei commissies. Maar ja, gaf ik terug, ik heb toch al mijn targets gehaald, dus wat maakt het uit? Geef mij anders een uitdagender baan! Ik kreeg juist energie van dat soort werk. Maar het leek wel alsof ze me wilden terugzetten op alleen maar mijn standaardwerk. Nou, dan zou ik alleen maar nog ongelukkiger worden.'

In die tijd kwam het keerpunt. 'Ik voelde me precies zo als twintig jaar eerder bij de formulering van mijn persoonlijke mission statement', vertelt Lam. 'Ik dacht: ik heb een droom voor Néderland. Ik wil van Nederland een land maken waarin iedereen volledig tot zijn recht kan komen.' Vanaf dat moment is ze die droom gaan uitdragen. Onlangs is ze met drie anderen de Vakschool Pedagogisch Werk gestart. Lam: 'We leiden pedagogisch medewerkers op, die kinderen, ouders en collega's daadwerkelijk zien en die diversiteitsensitief zijn. Daarmee wordt mijn droom om iets met opleidingen te gaan doen, bewaarheid. Je begint ermee al op de kindercentra inclusieve omgevingen te creëren. De kindercentra als democratische oefenplaats. Zo zie je, je draagt het uit en het gaat gebeuren.'

Lam zette bij Shell haar hakken in het zand door te staan door te laten zien dat zij stond voor belangrijke waarden. Toch kreeg ze er niet de ruimte voor. Wat is er dan mis met het bedrijfsleven, dat het belang van die waarden niet wordt ingezien? Otto Kroesen: "Je hebt vaak te maken met management dat in de tweede levensfase is blijven steken. Ze willen zich laten gelden door de zaak steeds helemaal om te gooien. Zelfs ouderen worden daarbij benaderd alsof ze in de eerste levensfase zitten, want ze moeten alles maar leuk vinden. Je wordt behandeld alsof je een verschuifbare pion bent en als je niet meedoet, dan ben je niet coöperatief. Zo heet dat dan.'

De kunst is om dat te ondergaan, meent Kroesen. Geduld is een schone zaak. 'Dan moet je misschien niet met alle geweld voor je rechten opkomen. Laat het even zo en kies het goede moment om je punt te maken, zodanig dat

Van de ene levensfase naar de andere

De oudere sollicitant moet niet proberen zich als een jongere te gedragen. Iedereen heeft zijn eigen leeftijdsfase en bijbehorende taak. Gebaseerd op eerder werk van Rudolf Steiner onderscheidt Eugen Rosenstock-Huessy bijvoorbeeld twaalf levensfasen verdeeld in drie periodes: jeugd, volwassenheid en de seniorenleeftijd. Aan de ouderen deelt hij bijzondere taken toe, waar de jongeren nog niet aan toekomen. De fasen zijn niet strikt aan leeftijd gebonden.

1 **Jeugd**
   → Luister naar je naam
   → Leer, lees, kijk
   → Dien, gehoorzaam, volg
   → Zing, dicht en wordt vrij
2 **Volwassenheid**
   → Twijfel, maak je eigen
   → Oordeel, neem waar, onderzoek
   → Protesteer, verklaar, neem een standpunt in
   → Hou vol, lijdt eronder
3 **Senioren**
   → Heers, regeer, maak wetten
   → Onderwijs, vertel
   → Beloof, profeteer
   → Laat een erfenis na, sticht

Gebaseerd op E. Rosenstock-Huessy, **Soziologie 2: Die Vollzahl der Zeiten**, uitg. W. Kohlhammer, 1958, (Ook verkrijgbaar bij uitg. Talheimer, www.talheimer.de) p. 74.

je dat niet meer doet voor jezelf, maar voor de organisatie. Dan heeft het kracht. Je moet conflicten voorkomen en je schikken in je toebedeelde taken. Als er dan andere taken blijven liggen, kun je daarop wijzen. Vroeger zou je de zaak misschien eerder op de spits hebben gedreven, nu leer je om meer bijsturend te werken. Als verstandige mensen problemen oplossen, heeft dat voor een organisatie vaak veel grotere betekenis, dan het steeds maar ingrijpen van managers.'

Een baas mag dus blij zijn als hij iemand in de organisatie heeft die over zulke wijsheid beschikt, terwijl tal van anderen stampvoetend rondlopen. 'Dat kan rust brengen', stelt Kroesen. 'Je kunt er zelfs functies op creëren. Ik ken iemand bij gemeentewerken die zelfs na zijn 65ste nog meewerkte, maar tegelijkertijd een brug wist te slaan tussen de opzichters die het voor het zeggen hadden en de jongens die zich daartegen verzetten. Dit soort brugfuncties zijn nu verdwenen. Misschien wordt niet gezien wat voor functie deze ouderen hadden, omdat we altijd in twee levensfasen denken. De derde is een bijkomstigheid, waarover managers nooit iets hebben geleerd. De kortademigheid van onze organisaties heeft ermee te maken dat die derde levensfase geen plek krijgt.'

Toch is de verdeling van de generaties niet bij alle organisaties dezelfde. Integendeel, er zijn grote verschillen tussen het bedrijfsleven en de overheid, constateert Wouke Lam. 'Bij Shell werken bijna geen 55 plussers meer', vertelt ze. 'In generatie-opzicht bestaat er dus relatief weinig diversiteit. Dat is compleet anders dan bij het rijk. Door het principe van *last in first out*, heb je daar juist een hele dominante oudere generatie.'

Vroeger waren er meer ouderen bij Shell. Op dat punt is de organisatie volgens Lam Angelsaksischer geworden. Lam: ' Het is veel meer performancegericht, je doet het goed als je in de middelste fase zit, die ernstfase. Je wordt afgerekend op je prestaties. Bij de overheid ontbreekt die resultaatgerichtheid juist. Er is bij de overheid veel meer eigen autonomie en mogelijkheid om je eigen baan vorm te geven dan bij Shell.'

Wat bij Shell wel de aandacht heeft, is de kennisoverdracht van oud naar jong. Het bedrijf staat voor de vraag hoe het de kennis vasthoudt als de ouderen vertrekken. De overheid op haar beurt staat voor de uitdaging om de jongeren ook echt een plek te geven, om hun potentieel veel meer te benutten. Lam: 'Ik werk nu als zelfstandige nog veel voor de rijksdienst en zie dat generatiemanagement een hot item is bij verschillende P&O-organisaties van het rijk. Bij Shell wordt het eigenlijk niet als een agendapunt gezien. Maar de overheid staat natuurlijk voor het probleem dat er maar weinig mensen overblijven wanneer al die ouderen straks met pensioen gaan. Hoe borg je de kennis?'

Jongeren kunnen leren van ouderen. Het lijkt logisch, maar als de ouderen er niet zijn, werkt het niet. Dan gaat er iets waardevols verloren, weet ook Aart Bontekoning. Zijn onderzoek richt zich op generaties, dus lichtingen werknemers die geboren zijn tussen bepaalde jaren. De zogeheten protestgeneratie

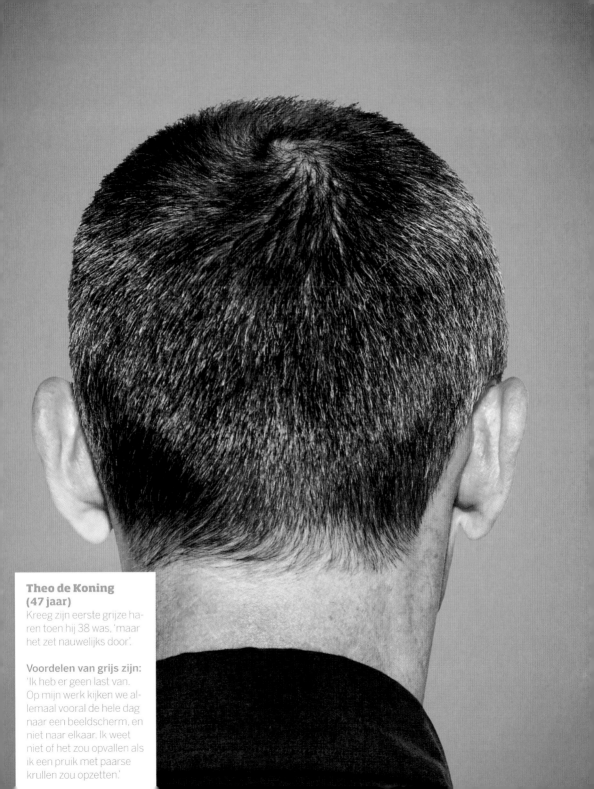

**Theo de Koning
(47 jaar)**
Kreeg zijn eerste grijze haren toen hij 38 was, 'maar het zet nauwelijks door'.

Voordelen van grijs zijn:
'Ik heb er geen last van. Op mijn werk kijken we allemaal vooral de hele dag naar een beeldscherm, en niet naar elkaar. Ik weet niet of het zou opvallen als ik een pruik met paarse krullen zou opzetten.'

De allerjongste werkende generatie kan sterke innovatieve teams vormen met senioren, vooral als ze passie voor het vak delen.

van de jaren zestig is inmiddels grijs geworden en dus in een latere levensfase terechtgekomen. Maar uit het onderzoek van Bontekoning blijkt duidelijk dat ze hun wilde haren lang niet altijd verloren hebben. Elke generatie heeft bepaalde karakteristieken en juist die verschillen zijn in het bedrijfsleven vruchtbaar te maken.

Uit het onderzoek blijkt dat de ouderen en de jongeren van vandaag het goed met elkaar kunnen vinden. 'De allerjongste werkende generatie Y, geboren tussen 1985 en 2000 heeft een bijzondere klik met de protestgeneratie. En andersom', stelt Bontekoning. 'Die kunnen het meeste van elkaar leren. Het belang van die wederzijdse kennisoverdracht wordt enorm onderschat! In Ali B op volle toeren, waarin rappers van begin twintig coryfeeën uit de zestiger jaren ontmoeten, is te zien hoe die klik en chemie ontstaat, vooral bij hun gedeelde passie voor het vak. Voorlopige verkenningen in diverse bedrijven duiden erop dat junioren van Y en senioren

van de protestgeneratie sterke innovatieve teams kunnen vormen.'

Bedrijven die daar geen gebruik van maken, missen een belangrijke kans, vooral omdat juist de protestgeneratie zeer gemotiveerd is om te blijven werken. Bontekoning: 'De arbeidsparticipatie van zestigplussers, senioren van de protestgeneratie geboren tussen 1940-1945, steeg van 12 procent in 2001 naar 43 procent in 2010. Ook in mijn generatie-onderzoek in zo'n honderd bedrijven in diverse branches geven steeds meer zestigplussers aan nog lang zinvol actief te willen blijven. Dat houdt ze vitaal en geeft ze voldoening. Velen voelen zich tien tot twintig jaar jonger dan ze eruitzien. Alleen de senioren die zwaar fysiek werk deden of die last hebben van fysiek ongemak, zeggen graag te willen stoppen. De vitale senioren van de protestgeneratie zo lang mogelijk aan het werk houden zal hun gezondheid en levensgeluk ten goede komen en miljarden aan zorgkosten besparen.' (FH)

Niet iedereen is zo maar een deskundige loopbaanadviseur

'Met een Noloc erkend loopbaanprofessional ben je verzekerd van kundige begeleiding bij de ontwikkeling van jouw loopbaan'

Wat doet een loopbaanprofessional precies?

Een goede loopbaanprofessional is inlevend, communicatief, reflectief, adviserend en ondersteunend. Hij beheerst meerdere coachings-, en trainingstechnieken en is daarbij een goede luisteraar. Hij kan inspelen op onverwachte gebeurtenissen en is in staat nieuwe invalshoeken te bedenken. Een loopbaanadviseur helpt je niet alleen concreet, maar werkt verhelderend, inspireert, geeft je plezier en zelfvertrouwen terug en maakt je bewust van je eigen kwaliteiten, capaciteiten en interesses.

Ook kan hij een gidsrol op de arbeidsmarkt vervullen, doordat hij op de hoogte is van de actuele sociaal economische ontwikkelingen, de trends die van invloed zijn op de werkomgeving en de hoofdlijnen van wet-en regelgeving inzake arbeidsrecht en werkeloosheids-, en re-integratiemaatregelen.

Wat mag je ervan verwachten?

Als een loopbaan zich voorspoedig ontwikkelt, vinden mensen hun draai. Zij ontwikkelen een of enkele van hun talenten, worden competent op hun gebied en dragen hun steentje bij. Dit is goed voor hun eigen levensgeluk, maar ook voor leven en welzijn van anderen. Als mensen hun draai niet vinden, stagneert hun ontwikkeling. Zij zitten niet lekker in hun vel en gaandeweg gaat hun employability en vaak ook gezondheid achteruit.

Toch laten de meeste mensen de ontwikkeling van hun loopbaan over aan toeval. Met als gevolg dat slechts iets meer dan de helft van alle werknemers tevreden is over de loopbaan die zij tot dusverre volgen. Met behulp van loopbaanadvies zou dat heel anders zijn. De mensen die de ervaring met een loopbaanadviseur hebben zijn daar heel tevreden over: 85% is van mening dat hun potentieel en talenten beter benut worden met goed loopbaanadvies. Bovendien blijkt dat ruim twee keer zoveel werkenden concrete acties ondernemen om in hun loopbaan een andere weg in te slaan, nadat zij loopbaanadvies hebben gekregen. Men ervaart het vaak als een investering voor de toekomst.

Wat is Noloc en waar staat het voor?

Noloc is de beroepsvereniging van loopbaanprofessionals en zet zich in voor de bevordering van de professionaliteit van de beroepsgroep. Daarnaast maakt Noloc zich sterk voor goede loopbaanontwikkeling van werkenden in Nederland. De ruim 2500 leden zijn werkzaam op het gebied van loopbaanadvies, outplacement, beroepskeuzeadvies, re-integratie en carrière coaching. Zij werken bijvoorbeeld bij re-integratie- en outplacementbureaus, bij interne loopbaancentra, bij het UWV, bij gemeenten of als zelfstandig ondernemer. Noloc loopbaanprofessionals halen meer uit mensen en organisaties.

Opdrachtgevers en cliënten kunnen gekwalificeerde adviseurs herkennen aan de beschermde titel 'Noloc erkend loopbaanprofessional'. Via toetsing en een beroepsregister zorgt Noloc voor meer betrouwbaarheid en professionaliteit. Noloc-leden zijn verplicht om de beroepserkenning te verwerven.

www.noloc.nl/zoek-een-adviseur

'Tegenslag heeft me sterker gemaakt'

Ik ben een selfmade manager, begonnen als vormingswerker. Tot 2009 was ik directeur van een regionaal kunst- en cultuurcentrum. Ik gaf leiding aan zo'n zestig medewerkers. Het was creatief werk, ik haalde er veel energie uit.

Op een gegeven moment waren de marktontwikkelingen minder goed. Ik moest bezuinigen en reorganiseren. Ik merkte dat ik steeds verder van mijn eigen kracht kwam te staan. Vooral in moeilijke situaties gaf ik weinig ruimte voor compromis.

De eerste tekenen van burn-out heb ik genegeerd. Kom op, dacht ik, dat gaat mij toch niet gebeuren? Tot mijn managementassistente zei: Marianne, je moet nu stoppen. Ik heb een time-out genomen. Want ik was het contact met mijn gevoel helemaal kwijtgeraakt.

Na vier maanden had ik weer de puf om terug te gaan. Maar er was intussen een interim die een andere koers wilde varen en ik kreeg de boodschap dat ik niet terug kon komen. Daar had ik het heel moeilijk mee. Ik zat vooral met de vraag: wie ben ik zelf nog zonder die positie? Aanvankelijk ben ik niet heel fanatiek gaan solliciteren. Ik nam ook de tijd om me persoonlijk te ontwikkelen. Ik volgde een opleiding persoonlijk leiderschap en deed vrijwilligerswerk in een hospice. Ik dacht: ik kom vast wel weer een leuke baan tegen. Maar na drie jaar WW had ik die nog niet. Ik snap dat

wel. Door een lange periode van werkloosheid raak je het zicht op je kwaliteiten helemaal kwijt. Dan sta je niet in je kracht.

Uiteindelijk raakte ik zelfs even in de bijstand. Ik schreef dertig sollicitatiebrieven per week. Maar respons bleef uit. Ik wist dat ik de bakens moest verzetten. Via mijn netwerk kreeg ik een interim-opdracht bij een organisatie waar ik eerder directeur was. Ik kwam weer in het werkend bestaan terecht, ontdekte mijn kwaliteiten en deed nieuwe contacten op.

Via die contacten ben ik gaan ondernemen. Met mijn businesspartner en stichting De Derde Weg run ik nu een zakelijk Businesspoint van Post NL in de Utrechtse wijk Overvecht. Vanuit dat Businesspoint organiseren we sociale projecten en adviseren we ondernemers. Ik ben bijvoorbeeld een project gestart om werkloze jongeren in het groenonderhoud te laten werken en hen te begeleiden naar werk bij lokale ondernemers. Het is geweldig om te ondernemen en een eigen zaak op te bouwen.

Ik bruis van de ideeën, ik gebruik weer mijn intuïtie. De tegenslag heeft me sterker gemaakt. Ik raad iedereen aan: blijf actief, blijf je ontwikkelen, maak je eigen werk, pak je economische zelfstandigheid terug.' (DS)

Fotografie: Puurportret.nl

Marianne Houkamp
(57 jaar)

O Facebook
O LinkedIn
O Twitter

Mijn
talent is...

Moodboard

Bij een doeboek hoort dat je zelf wat doet.
Noteer hier wat je relevant vindt voor je
tweede carrière. Is er een woord steeds maar
blijven hangen? Wat ga je morgen concreet
doen? En wat lijkt je het spannendst?

Teken je droom

Hoe ziet jouw droom eruit? Hang hem boven je bed.
En dan begin je gewoon, met kleine stapjes. Vertel je
droom ook aan je vrienden, zij kunnen helpen.

COLOFON

Met liefde gemaakt

Je tweede carrière is een uitgave van BigBusinessPublishers.

Uitgever
Donald Suidman

Redactie
Pien Heuts, Feico Houweling, Hellen Kooijman, Luuk Obbink,
Maria van Rooijen, Donald Suidman, Linda van Tilburg

Art directie en vormgeving
Sanna Terpstra, Twin Media bv, Culemborg

Fotografie & illustratie
Vincent Boon, Leonie Bos, Angelina Carol, Wilco van Dijen, Jan de Dreu,
Istock, Else Kramer, Christiaan Krouwels, Suzanne Liem, Maria Austria Instituut,
Punkmedia.nl, Puurportret.nl / Rinus de Loos, Shutterstock, Spaarnestad Photo,
Britt Straatemeier, Gerard Til / Hollandse Hoogte, Youtube

Foto omslag
Puurportret, Rinus de Loos

Verkoop
Saskia van der Tol, Danny de Lange,
Close Ties Consultancy

Druk
Ten Brink, Meppel

info@jetweedecarriere.nl
www.jetweedecarriere.nl

ISBN 9789491757006
1e druk, september 2013

© BigBusinessPublishers
Postbus 108, 3500 AC Utrecht

Praat mee over 45-plussers en de arbeidsmarkt op de LinkedIn groep 'Je tweede carrière'.

Meer over dit boek: www.jetweedecarriere.nl

BIGBUSINESS 99 PUBLISHERS